やさしくわかる

矯正歯科治療

歯並びコーディネーター入門書

特定非営利活動法人
日本成人矯正歯科学会　編

ORTHODONTIC
TREATMENT
COORDINATOR

第3版

医歯薬出版株式会社

This book is originally published in Japanese
under the title of :

YASASHIKUWAKARU KYOSEISHIKACHIRYO HANARABIKODINETA NYUMONSYO
(Orthodontic Treatment can be understood easily. Guide Book of the Orthodontic Treatment Coordinator)

Editor :
Japan Association of Adult Orthodontics

ISHIYAKU PUBLISHERS, INC.
7-10, Honkomagome 1 chome, Bunkyo-ku,
Tokyo 113-8612, Japan

第3版　発刊にあたって

日本成人矯正歯科学会は，現在の徳仁（なるひと）天皇のご成婚の年，1993年に発足し，昨年30周年を迎えました．

国民への医療提供の面で見ますと，1948年に歯科が標榜可能な診療名となり，1961年には国民皆保険制度が実施されました．その後，1978年の医療法改正により美容外科，呼吸器外科，心臓血管外科，小児外科，矯正歯科，小児歯科の標榜が可能となり，矯正歯科が医療として国民に知られるようになってきました．そして，私が歯科大学を卒業し，札幌医科大学に勤務した当時，毎日新聞北海道発行所報道部がまとめた『谷間の口がい裂児―この子らに健保を』が発行され，これがきっかけとなり1982年に口唇口蓋裂の矯正歯科治療の保険導入が開始されました．

日本成人矯正歯科学会の発足当時，矯正歯科治療はおもに子どもが対象であり，成人の矯正歯科治療は難しい治療とされていました．そこで，われわれ矯正歯科医が勉強する場として当会が発足した経緯があります．その後，国民へのよりよい矯正歯科治療の提供には，矯正歯科の知識の普及と適切な指導ができる人材の養成が必要とのことで，この目的のために，歯並びコーディネーター研修会および認定制度が2007年に設立されました．今年で16年目を迎えますが，COVID-19の影響により一度中止された以外は毎年開催され，現在では2000名を超える「歯並びコーディネーター」が誕生しております．

本書は，歯並びコーディネーター資格審査試験を受講する方のテキストとして2008年にデンタルダイヤモンド社から発行された『歯並びコーディネーター・白い美しい歯並びは美と健康のシンボルです』が元となっております．その後，2015年に『やさしくわかる矯正歯科治療 歯並びコーディネーター入門書』（医歯薬出版）として生まれ変わり，今回は内容を精査し，さらに最新の情報を提供するため，「第3版」を出版することとなりました．

この認定制度は日本成人矯正歯科学会の会員だけでなく非会員の方々も対象とし，歯科医師・歯科衛生士・歯科技工士のほか，意欲のある歯科助手，受付などのコデンタルスタッフも取得できます．よくかめる機能的なかみ合わせは人々の健康を守り，また美しい歯並び，口もとは自信にあふれたさわやかな笑顔をもたらします．本研修会を受講し，資格を取得され，われわれと一緒に矯正歯科の国民への啓蒙と，健康増進の働きかけを行っていただけることを期待しております．

最後に，歯並びコーディネーター委員会の板倉醸幸先生（故人），石野善男先生，眞泉伊都夫先生，椿丈二先生はじめ，委員の先生方のご協力により本制度が順調に発展していますことを深く感謝いたします．

2023年夏

日本成人矯正歯科学会
理事長　**村井　茂**

第 2 版　発刊にあたって

日本成人矯正歯科学会は佐藤元彦先生が中心となり，矯正歯科臨床医を主体とした学会を創りたいとの趣旨で 1993 年に設立されました．その後，2005 年，内閣府の下に全国的な学会として特定非営利活動法人となり，当学会のモットーである“開かれた学会”の理念実現のため，理想的チーム歯科医療の実践を試みて来ました．

この理想的チーム歯科医療の実現のため，歯並びコーディネーター認定制度をはじめとして，認定矯正歯科衛生士および認定医研修プログラムが実施され，武内　豊前理事長のご尽力により認定矯正歯科技工士の制度も設立することができました．これらの認定制度の拡充に伴い，当学会は急激な会員数の増加とともに発展してまいりました．

開かれた学会としての最も重要な使命は，国民に対する正しい矯正歯科（よい歯並び，かみ合わせ）の知識の啓蒙と，正しい知識を普及する人材の育成です．この学会としての使命実現のため，2007 年，上記のとおり歯並びコーディネーター研修会および歯並びコーディネーター認定制度が設立されました．この研修会受講の対象者は，国民に対する正しい矯正歯科の知識啓蒙の使命をもつ歯科医師，歯科衛生士，歯科技工士，そして歯科助手，受付などのスタッフを含むいわゆる「コ・デンタル」です．さらに矯正歯科に興味をもつ一般の方々も受講可能で，研修会後に実施される認定審査に合格すると「歯並びコーディネーター」の認定証が授与されます．

歯並びコーディネーター研修会スタートにあたり，正しい矯正歯科の知識を学ぶための適当な教材がなかったため，歯並びコーディネーター委員会が中心となり「歯並びコーディネーター・白い美しい歯並びは美と健康のシンボルです」（デンタルダイヤモンド社，2008 年）を出版しました．その後 2015 年に内容の刷新を図り，医歯薬出版株式会社より「やさしくわかる矯正歯科治療─歯並びコーディネーター入門書」を出版しましたが，さらに最新の情報を提供するため，今回，「第 2 版」を出版することになった次第です．

歯並びコーディネーター委員会歴代委員長の板倉醸幸先生（故人），石野善男先生，椿　丈二先生をはじめ委員の先生方のご協力によって歯並びコーディネーター認定制度が順調に発展した結果，2019 年 3 月時点で約 1,700 名の歯並びコーディネーターが誕生し，矯正歯科治療の重要性を国民に広く啓蒙する使命をもって全国で活躍しています．

最後に，歯並びコーディネーター研修会の計画初期から参画され，第 1 回から講師を勤めていただいた故人の板倉醸幸先生，酒井信夫先生に感謝をこめて本書を捧げます．

2019 年秋

日本成人矯正歯科学会
理事長　**小谷田 仁**

発刊にあたって

日本成人矯正歯科学会は 1993 年 6 月 27 日に産声をあげて以来，早いもので既に 20 年余の歳月が経過し，まさに成人矯正歯科学会となりました．この間，1994 年には『日本成人矯正歯科学会雑誌』を創刊し，1996 年には日本学術会議の登録学術団体に認定され，2005 年には特定非営利活動法人として法人化し，2006 年には矯正歯科専門医制度を発足いたしました．

2007 年にはよい歯並び・よいかみ合わせの知識の普及と適切な指導ができる人材の養成を目的に歯並びコーディネーター研修会および歯並びコーディネーター認定制度を開始いたしました．よくかめる機能的なかみ合わせは人々の健康を守り，また，美しい歯並び，口元は自信にあふれたさわやかな笑顔をもたらします．歯並びをよくするのに年齢は関係ありません．子どもから，成人，高齢者でも可能です．この研修会は日本成人矯正歯科学会の会員だけではなく非会員の方々も対象とし，歯科医師，歯科衛生士，歯科技工士などの歯科医療有資格者，歯科助手，受付などのスタッフ，さらに歯並びやかみ合わせに関心をもつ一般の方々も受講することができ，研修会後に行われる認定審査に合格すると認定証が授与され「歯並びコーディネーター」の資格を取得することができます．

歯並びコーディネーター認定制度は歴代の歯並びコーディネーター委員会委員長の板倉醸幸先生（故人），石野善男先生，椿　丈二先生をはじめ委員の先生方のご尽力によって順調に発展し，2015 年 9 月までに約 2,150 名の歯並びコーディネーターが誕生し，矯正歯科治療の伝道者として歯並び・かみ合わせの大切さ，矯正歯科治療の重要性を啓蒙する使命をもって全国で活躍しています．また，「E- ライン・ビューティフル大賞」授賞式，矯正歯科月間などさまざまな広報，啓蒙活動も功を奏し，成人でも矯正歯科治療を受ける人が急速に増えています．

さて，本書の前身は，『歯並びコーディネーター―白い美しい歯並びは美と健康のシンボルです―』（デンタルダイヤモンド社，2008 年）になりますが，最新の情報を提供するために内容を精査，検討してこのたび新たに出版する運びとなりました．本書の出版にあたりご尽力頂いた医歯薬出版の編集担当者に深く感謝いたします．

最後に，歯並びコーディネーター研修会の構想の段階から参画され，第 1 回から講師をお勤めいただいた故人の板倉醸幸先生，酒井信夫先生に本書を捧げます．

2015 年秋

日本成人矯正歯科学会
理事長　**武内　豊**

やさしくわかる
矯正歯科治療　第3版
歯並びコーディネーター入門書

CONTENTS

第1章

第2章

第3章

第１章　歯並びに関する基礎知識

重枝　徹

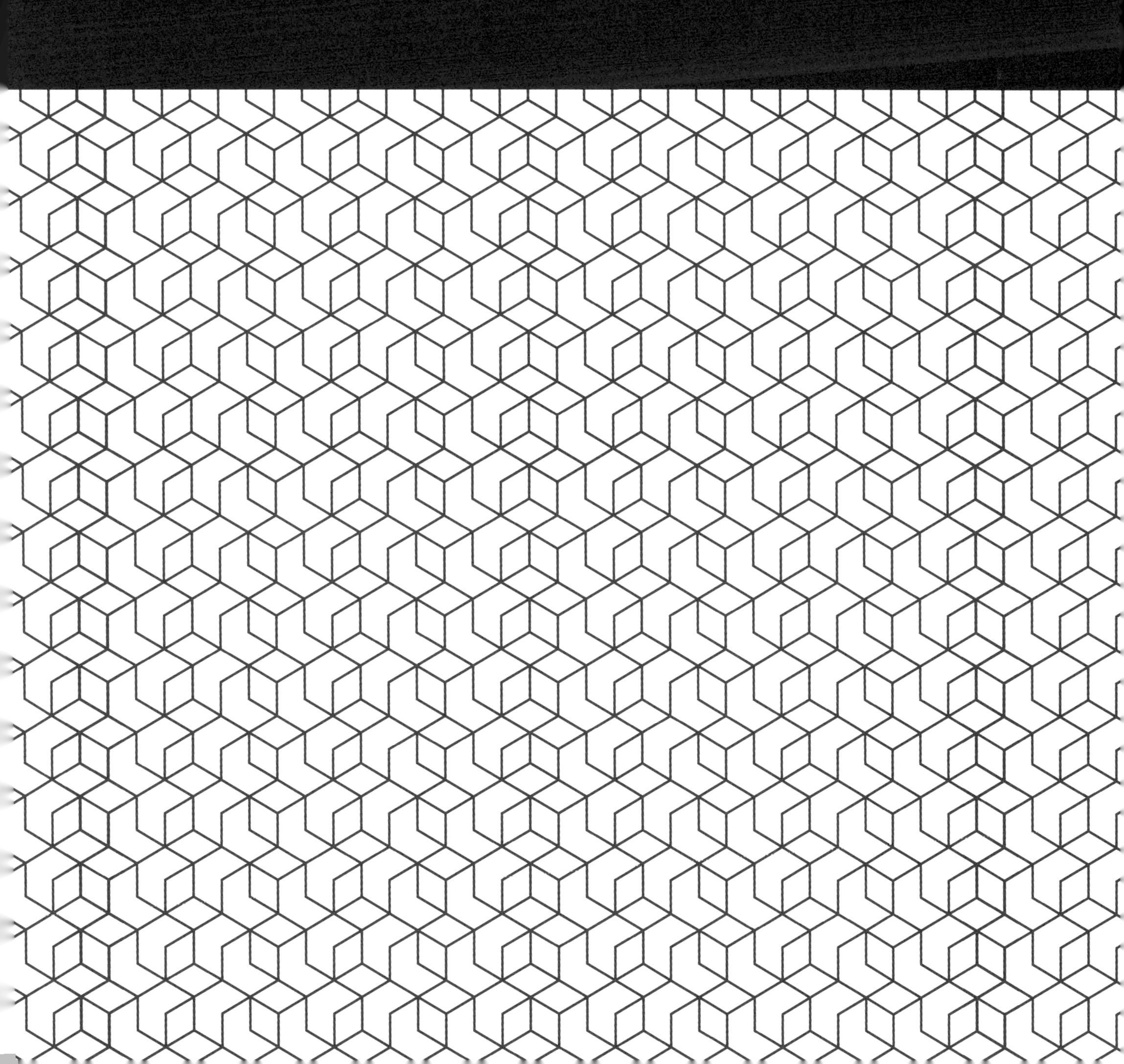

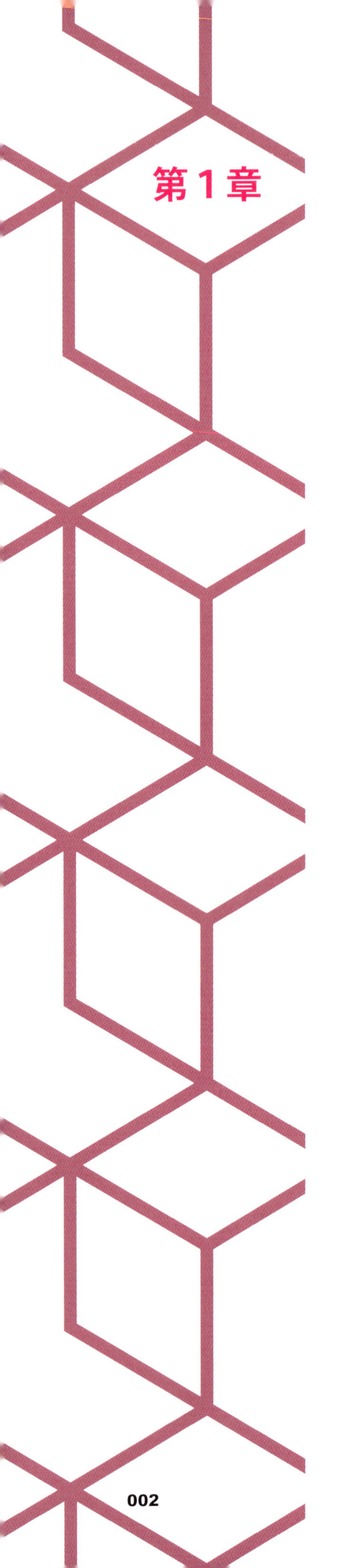

第1章 歯並びに関する 基礎知識

はじめに

本章では歯並びに関する基礎知識（表1）を学びます．

これらを学習することで，乳歯から永久歯に生えかわっていくなかで発生する不正咬合（不正なかみ合わせや歯並びの悪い状態）の分類や見分け方，つくられていく過程について理解を深めましょう．

乳歯列の形成

乳歯は，生後6～7カ月に下顎乳中切歯から萌出し，2歳6カ月～3歳ごろには第二乳臼歯が萌出して乳歯列が完成します．

乳歯は上下あわせて20本あり，前歯である乳切歯（AB），その隣の乳犬歯（C），奥歯である乳臼歯（DE）があります．乳歯の萌出順序には個体差や性差があるものの，一般的には $\overline{A} \rightarrow \underline{A} \rightarrow \underline{B} \rightarrow \overline{B} \rightarrow \underline{D} \rightarrow \overline{D} \rightarrow \underline{C} \rightarrow \overline{C} \rightarrow \overline{E} \rightarrow \underline{E}$ の順で萌出します（図1）．

歯列の特徴は卵円形であること，歯間の空隙が広いことです．乳歯列の完成と並行して離乳が進み，食べる機能を整えていきます．食事は流動性の食物から固形の食物に変化し，話す機能，かむ機能に付随して顎の動きがつくられていきます．この一連の活動は上下顎の成長に大きく影響します．この時期から歯ブラシやうがいに慣れるように習慣づけることが大切です．

混合歯列の形成

乳歯の下にかくれている永久歯が形成・発育して萌出し始めると，乳歯の歯根を溶かしながら2～3年かけて交換されます（図2）．下顎乳中切歯の交換は早い子どもでは5歳半ぐらいから始まりますが，一般的には6～7歳になると第二乳臼歯の遠心面に沿って第一大臼歯が萌出し始め，その萌出後に切歯の交換が始まります．

上下顎乳切歯4本の幅径の合計は永久切歯4本の幅径よりも小さいため，通常では入れ替わるスペースがないと考えられますが，永久歯の萌出にともな

表1　歯並びに関する基礎知識

- 乳歯と永久歯の形成と萌出時期
- 乳歯列と乳歯の咬合
- 混合歯列
- 永久歯列と永久歯の咬合

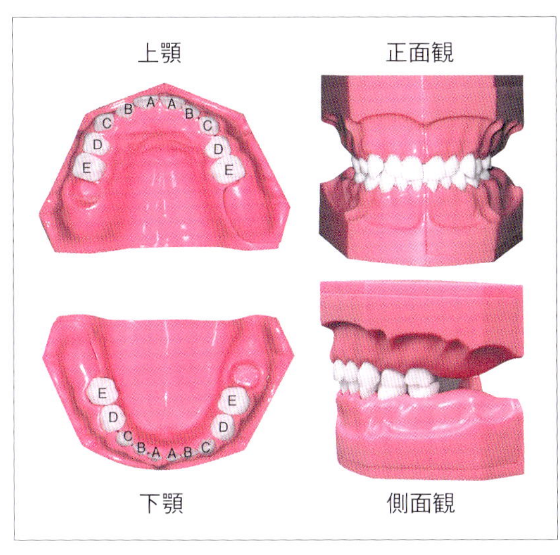

図 1　乳歯の配列

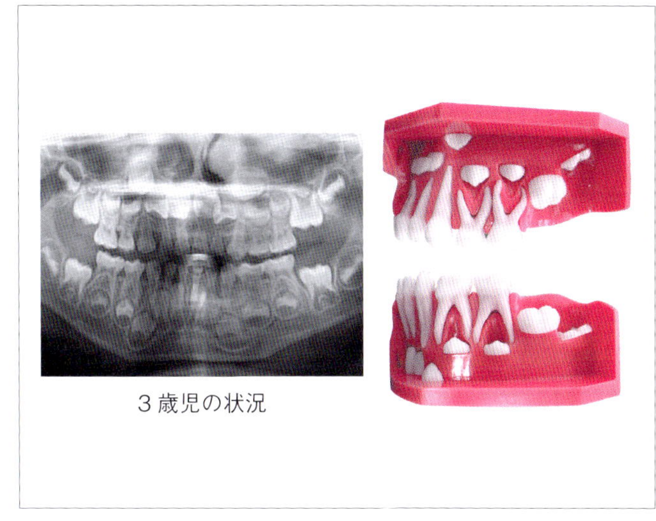

図 2　乳歯と永久歯

い歯列弓の長幅径は増大し，配列しやすい環境に変化します．乳歯列でみられる広い空隙もこのためであると報告されています．

9 ～ 10 歳ごろになると側方歯群の交換が始まります．永久犬歯，小臼歯の萌出順序には個体差がありますが，一般的には上顎では第一小臼歯（4）→犬歯（3）→第二小臼歯（5），下顎では犬歯（3）→第一小臼歯（4）→第二小臼歯（5）の順になります．上述のように，交換される乳歯と永久歯の歯冠幅径の差が，正しく配列するかしないかの要因となります．側方歯群の場合，永久歯より乳歯の合計幅のほうが大きく，多少スペースの余裕があります．これを「リーウェイスペース」といい，歯並びをよくするために大きく役立っています．つまり，中切歯（1）から第一大臼歯（6）までの距離と，生えてくる歯の大きさとの関係が歯並びの重要なカギを握っています．

Notes

リーウェイスペース
乳歯の側方歯群の合計幅と永久歯の合計幅との差をいう．永久歯がきれいに配列されるよう，乳歯の側方歯群は大きめにできている．

混合歯列期の歯の交換順序や乳歯の喪失，顎の成長発育と歯並びには大きなかかわりがあります．

永久歯列の形成

正しい歯の配列のためには，萌出スペースと交換の順序が大切であることは上述しました．側方歯群の交換のあと，11 ～ 12 歳になると下顎第二大臼歯（7）の萌出が始まり，上下の歯が咬合することで永久歯列が完成します（図 3）．この時期は骨格的な成長発育と相乗し，歯列弓の長幅径も大きくなります．

さらに，17 ～ 18 歳になると第三大臼歯（智歯）の萌出が始まります．第三大臼歯（8）は大臼歯の最後方に位置し，上下に生えることで永久歯は合計 32 本となります．乳歯列とは形態の違いもあり，歯列弓は馬蹄形（放射線状）をしています．

成長発育とともに食物の摂取，咀嚼，嚥下，発音，呼吸などで舌や咀嚼筋，神経筋機能の向上と密接なかかわりをもちながら歯列は形成されていきます．

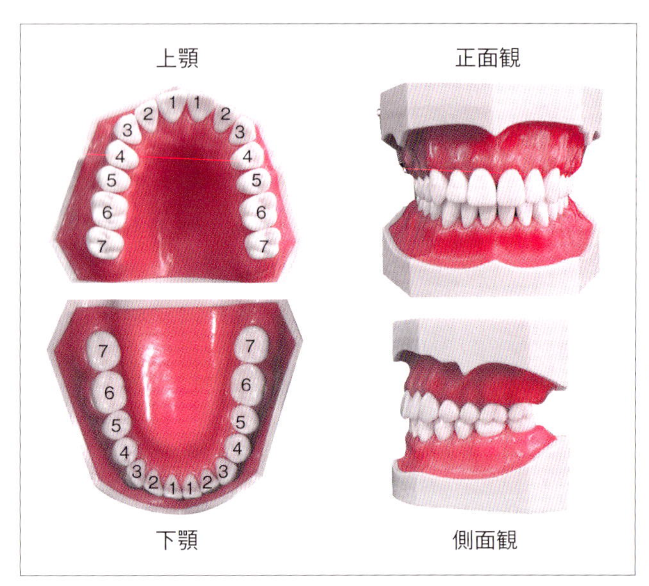

図 3　永久歯の配列

- 前(切)歯（1, 2）・犬歯（3）・小臼歯（45）・大臼歯（67）の計 28 本
- 6 ～ 7 歳ごろ第一大臼歯（6）と下顎中切歯（1）が生え，13 歳ごろまでに生え代わる．第三大臼歯（智歯）は遅れて 17 ～ 18 歳ごろに萌出するが，生えない人もいる．
- 馬蹄形（放物線状）に並ぶ．

表 2　きれいな歯並びのメリット

口腔に対するメリット	全身に対するメリット
● 口元が美しくなる． ● よくかめるようになる． ● むし歯の予防になる． ● 口唇が閉じやすくなる（鼻呼吸）． ● 発音がしやすくなる．	● 顔の形が整う． ● 姿勢がよくなる． ● 体調がよくなる． ● 免疫力が上がる． ● 持続力や集中力がアップする．

正しい歯並びとは

まずは上下左右の歯がきれいに並んでいて食物がよくかめること，そして上顎や下顎，頭蓋骨に付随する筋肉のバランスがよく，機能的な運動も良好であることが正しい歯並びの条件です．

歯並びが正しく，かみ合わせのよいことを「正常咬合」といいます．永久歯の歯列がきれいな馬蹄形をしていて，緊密な咬合により上下顎の歯列の調和がとれていることは，その人の健康状態と密接に関連しています（表 2）．歯並びの悪い状態を気にして来院してくる人にはデメリットを説明するのではなく，矯正歯科治療などを通じて改善することで口腔内の状態だけでなく全身的にも精神的にもよくなるというポジティブな説明をするのがよいでしょう．

悪い歯並びの原因

さて，それではなぜ歯並びのよい人と悪い人がいるのでしょうか．これまでみてきたように，乳歯から永久歯へと正常に生え替わりが完了すれば，だれもがよい歯並びを獲得できるはずです．歯並びの悪くなる原因について考えてみましょう．

遺伝的要因

両親から受ける遺伝は成長に大きな影響を与え，身長と歯の大きさには相関性があるといわれています.

顎の大きさと歯のバランス

正常咬合を獲得するには，顎の大きさ，歯の大きさや形態のバランスがとれていることが必要です．自然な成長の流れのなかで歯の萌出や交換が完了することが大切です.

悪い習慣・習癖

指しゃぶりや口呼吸，舌を突き出したり衣類をかむなどの口まわりの悪い習癖は，歯並びに影響を与えることがあります．その結果，歯や歯列，歯槽骨，顎に不正な力がかかり，成長に障害を来たして不正咬合の原因となります.

姿勢や身体バランスも重要な要素です．精神的，身体的なストレスとも大きなかかわりがあるので生活習慣のなかで注意することが大切です.

硬いものをかむ習慣の減少

よくかむことで上下顎骨は正常に発育し，機能向上へとつながります．食物性状も含め，現代は軟らかい食物が多くなったことで硬いものをかむ習慣が減り，歯並びにも影響を与えています.

乳歯の早期喪失

適切な時期の歯の萌出交換によって後続の永久歯がスペース取りをします．むし歯などによる乳歯の早期喪失は，隣りの歯の萌出位置を変化させ後続永久歯の生える場所を減少させます．乳歯列の最後方の第一大臼歯の位置がスペースの限界点として重要な役割をしています.

不正咬合の分類と種類

一般的な不正咬合の分類としてAngleの分類があります．上顎第一大臼歯の近心頬側咬頭の三角隆線が下顎第一大臼歯の頬面溝に接触する状態を正常とし，これをAngle Ⅰ級といいます．そして下顎歯列弓が上顎歯列弓に対して遠心で咬合するものをAngle Ⅱ級，上顎歯列弓に対して近心で咬合するものをAngle Ⅲ級として分類しています（図4).

Angleの分類とは別に，一般的に歯科でいわれる不正咬合には以下のような種類があります.

叢生（そうせい）（図5）

叢生とは，歯の並びがデコボコでガタガタの状態をいいます.「叢」という字には「薮」という意味があり，草木が乱雑に生えている状態を表します.

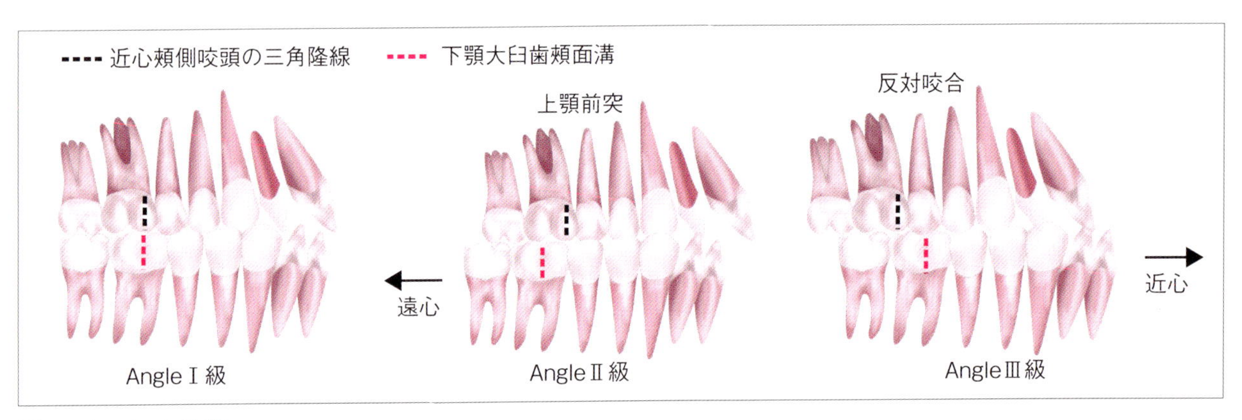

図 4　Angle の分類

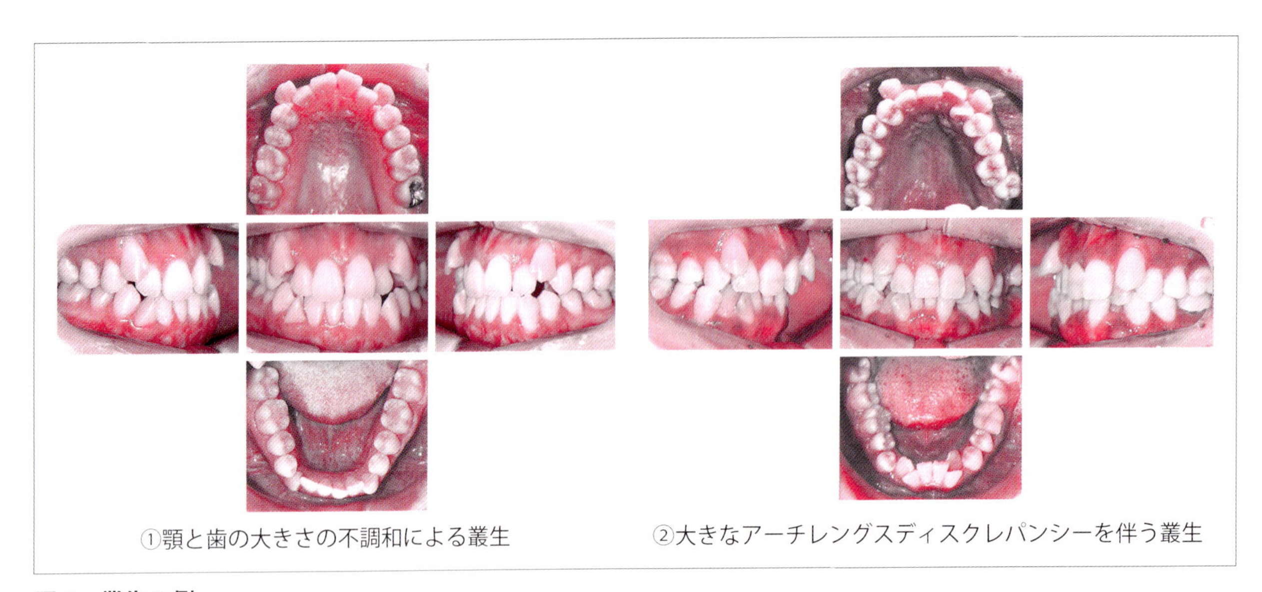

図 5　叢生の例

原因としては顎の大きさと歯の大きさのバランスがとれていないことが考えられます．永久歯の萌出に際し，萌出スペースがないために歯列の内外に萌出したり，その力で隣の歯を移動させたりすることもあります．ガタガタがあることで口腔内の清掃が十分に行えずに歯周病になりやすくなります．

対処法としては，土台となる顎そのものの大きさを拡大して並べ直す方法や，顎の大きさにあわせて便宜抜歯を行う方法などがあります．

反対咬合（図 6）

文字どおり上下の歯が反対になっているかみ合わせのことです．上顎歯列弓の内側に下顎歯列弓がかみ込んでいる状態が正常ですが，下顎歯列弓が外側にある状態が反対咬合です．

原因として，遺伝的な要因による成長発育，舌の大きさや舌骨の位置の異常などが考えられます．治療にあたっては，まず，歯性なのか骨格性なのかを検討します．

対処法として，顎の前後的バランスを改善して治療する方法や，便宜抜歯によるスペースコントロールなどが考えられます．顎の前後的なアンバランスが

Notes

便宜抜歯

歯列空隙を確保し，歯並びをよくするために健全な歯を抜くこと．

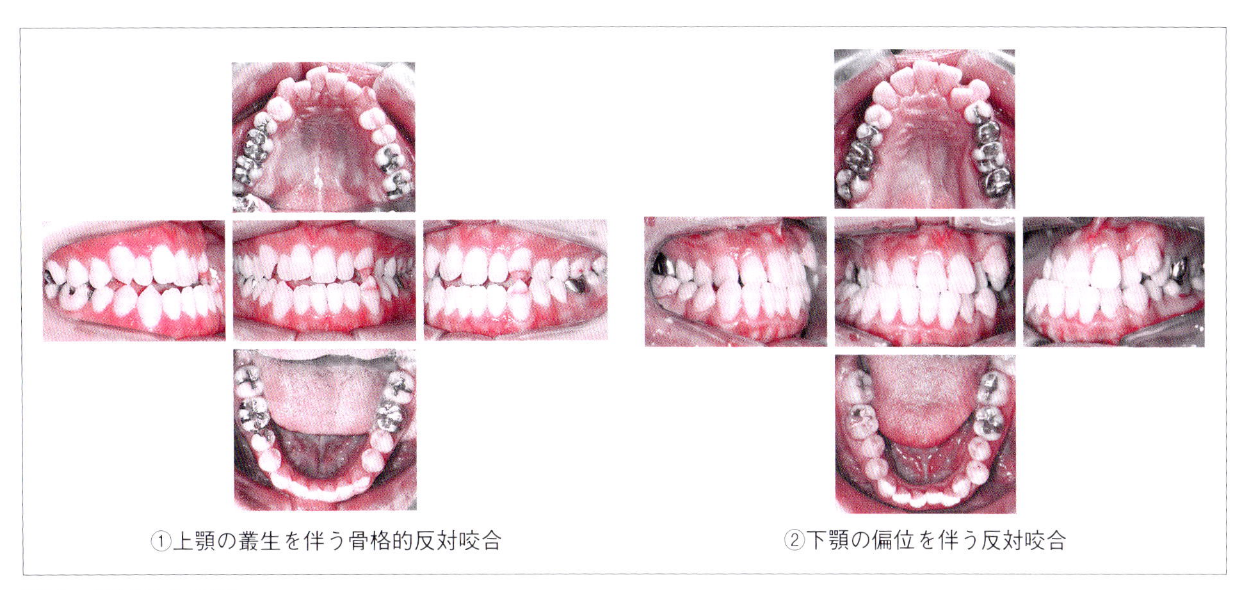

図6　反対咬合の例

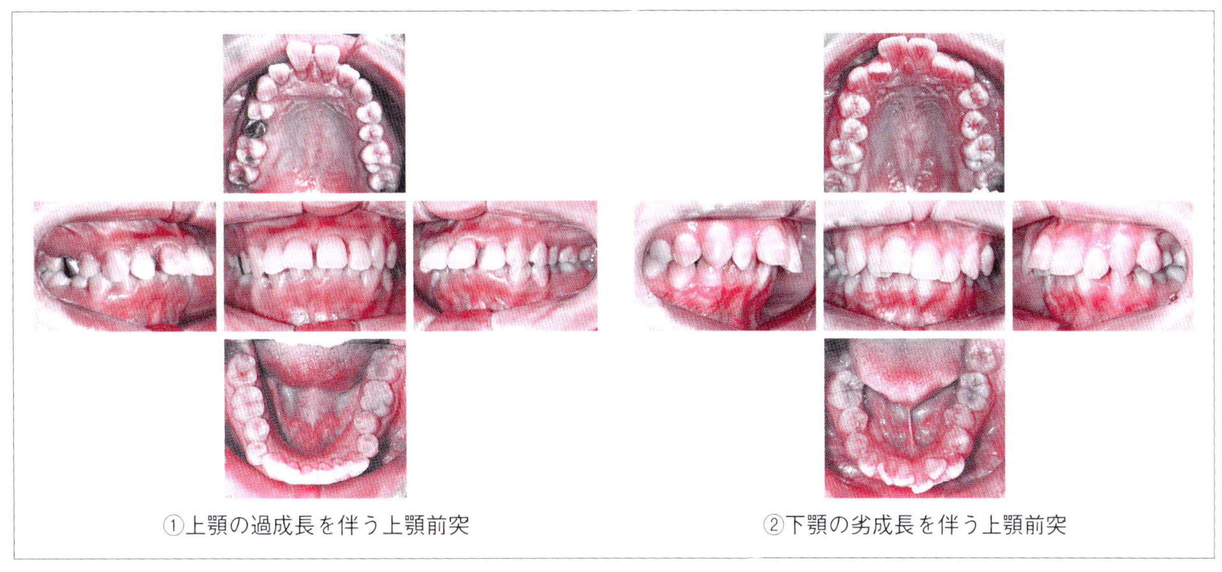

図7　上顎前突の例

非常に大きく矯正歯科治療だけでは改善できない場合は，外科的方法を併用することもあります．

上顎前突　（図7）

上顎が前に突き出ている，つまり下顎歯列弓に比べて上顎歯列弓が前に出ている状態（「オーバージェットの大きい状態」といいます）です．いわゆる「出っ歯」といわれるもので，審美的にも機能的にも問題があるため矯正歯科治療で改善する人が多い症例です．

原因としては遺伝的要因のほか，指しゃぶりや舌の悪習癖が考えられます．口呼吸のために口唇閉鎖ができなかったり，かみ合わせで下の前歯が上の前歯を突き上げたり，さまざまな要因の複合による場合もあります．原因を慎重に考え，適切な対処法を検討します．

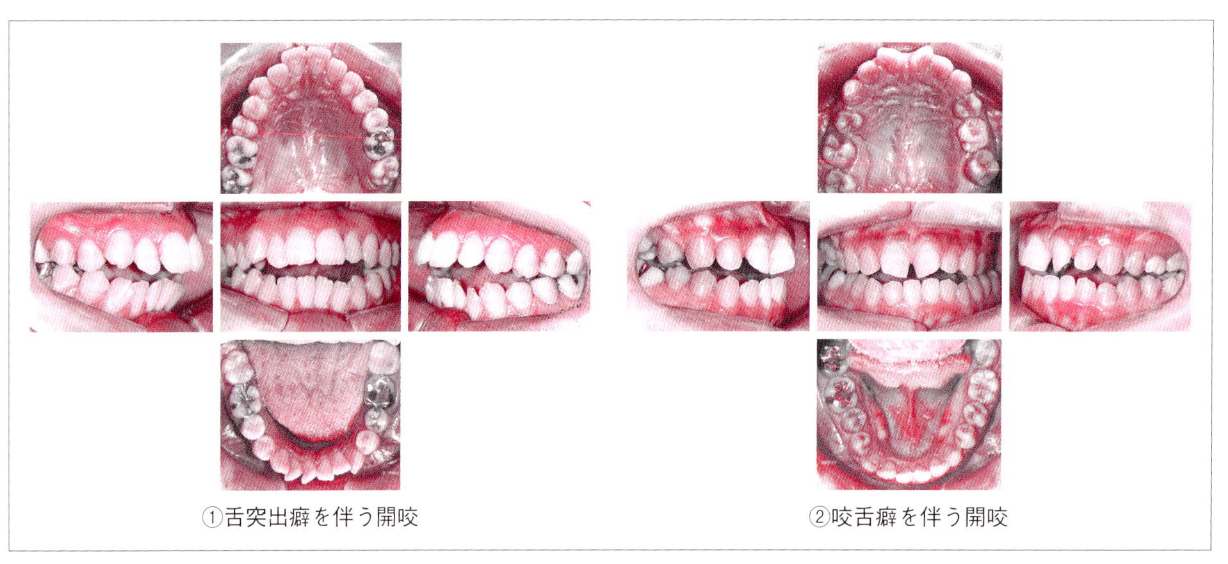
①舌突出癖を伴う開咬　②咬舌癖を伴う開咬

図 8　開咬の例

開　咬（図 8）

かみ合わせても上下の歯の接触が少なく，スペースがみられる状態です．

原因として，指しゃぶりなど幼少期の悪習癖によることもありますが，もともと前歯で食物をかみ切ることができず，舌を使ってかむ習慣がさらに悪化を招く場合もあります．食物を嚥下するとき，舌を前歯部の隙間に入れないと飲み込みにくいので何度も前歯部の隙間に入れる悪循環となります．かむ位置が不安定であるため顎関節に症状が出やすくなります．

対処法として，舌や呼吸の機能訓練とあわせた改善が必要です．しっかり治してかむ習慣をつけることが，矯正歯科治療後の歯列の安定につながります．

交叉咬合

上下の歯の関係が正常とは逆になっている状態で，前歯部以外にみられる場合をいいます．原因の特定はできませんが，片側でばかりかむことも原因のひとつと考えられます．顎のズレが大きい場合には下顎の変形や偏位も考えられ，顎関節への影響にも注意が必要です．

ま と め

本章では，乳歯から永久歯への生え替わりに関する基本的な知識と，歯の萌出と歯並びの関係について解説しました．

予防には成長期のコントロールが重要で，まずは正しい生活習慣を身につけることが大切です．それでも悪くなってしまった歯並びに対しては，原因と対処法を考えて，治療可能であればしっかりと治療し，正常になった咬合を継続させていくようなアフターケアが大切です．矯正歯科に関する教育を受け，治療経験を積んだ歯科医師にかかる必要があります．

column 固定の考え方と歯科矯正用アンカースクリュー

■ 固定の考え方

歯や顎骨に矯正力を作用させる場合，その力の反作用に耐えることを「固定」といいます．矯正歯科治療においてこの固定という考え方は非常に重要です．

たとえば前歯部の叢生を改善する場合，抜歯症例では前歯部を後方へ移動させ，前突を改善して抜歯スペースを有効的に利用する必要があります．そのため前歯部を移動させる場合に反作用として起こる臼歯の近心移動量を把握して治療していく必要があります．許容される臼歯の近心移動量によって，求める固定の強さをコントロールする必要があり，その程度により，①最大の固定，②中等度の固定，③最少の固定の３つに分類されます（図 A）．

歯科矯正用アンカースクリュー（図 B，以下，アンカースクリュー）とは，口腔内の顎骨に植立し，固定に使用するスクリューで，歯の移動のための牽引力を付与するときの固定源として使用するものです．「歯科治療において矯正力の固定源として使用する金属製の小さなねじ」と定義されます．

アンカースクリューは唇側や頬側の歯槽骨などに植立することにより最大の固定源となります．患者の協力を必要としていた従来の矯正歯科治療と違い，患者の協力に依存せずに良好な結果を得られることが可能となりました．そのため近年，矯正歯科治療で使われることが多くなっています．

■ アンカースクリューでどんなことができるの？

いままでの治療では固定源を強化するために，たとえば，ヘッドギア，舌側弧線装置（リンガルアーチ），ナンスのホールディングアーチなどの装置を併用していました．これらは臼歯の近心移動を最小限に抑える目的で利用していました（図 C）．アンカースクリューの開発により，いままで難しいとされていた歯の動きが比較的容易になってきました（表 A）．

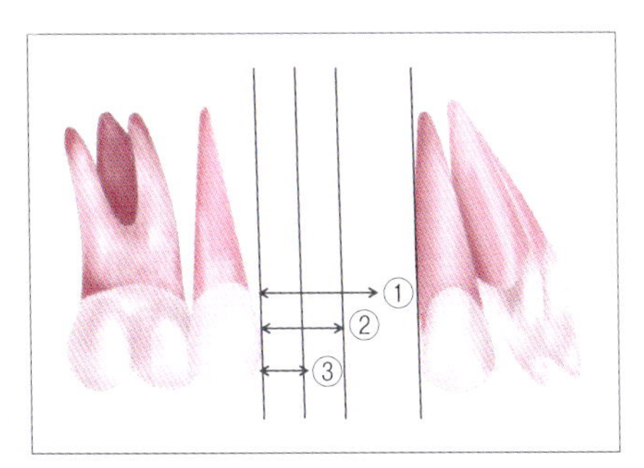

図 A　固定の強さの分類

抜歯スペースに対して後方の歯が移動する場合に，① 1/2 以上近心移動をする場合を最少の固定，② 1/4 から 1/2 程度近心移動をする場合を中等度の固定，③ 1/4 以上近心移動をしない場合を最大の固定としている．

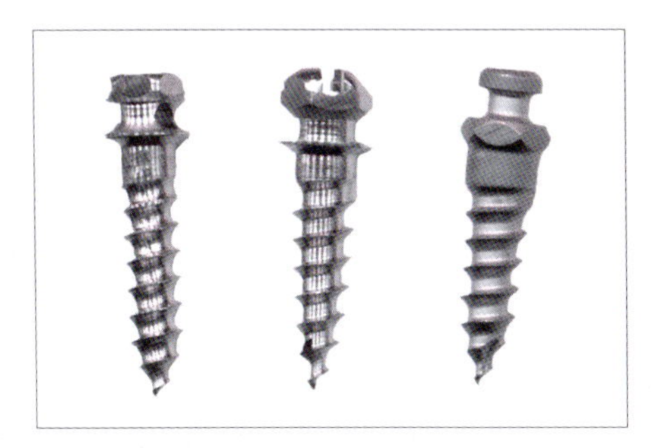

図 B　歯科矯正用アンカースクリュー

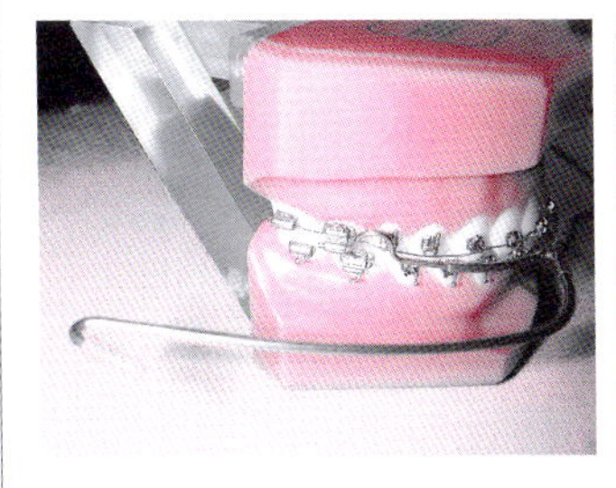
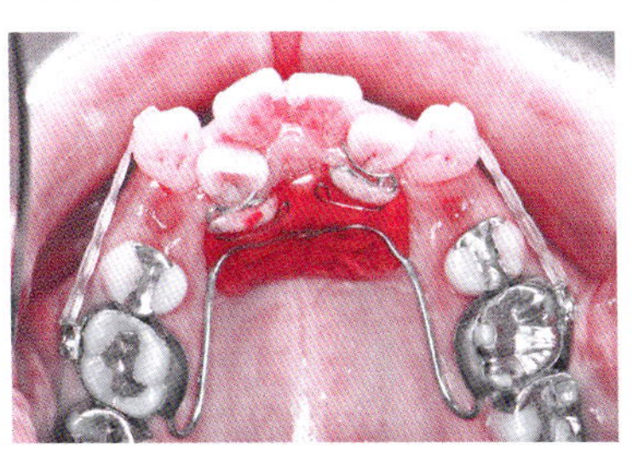

図 C　ヘッドギアや矯正装置による固定源の強化

表 A　アンカースクリューによる歯の移動

1. 歯の近遠心移動
2. 上顎歯列の遠心移動
3. 下顎歯列の遠心移動
4. 前・臼歯部の圧下
5. 片側だけの限局矯正

矯正歯科治療においては，常に作用・反作用の力を念頭に置いて，起きて欲しくない作用をどうやって抑えるか，固定の概念の理解が重要です（図 D）．

■ 利点・欠点

利便性の高いアンカースクリューですが，術者には基本的な術式と経験が求められます．正しい診断に基づき，利点と欠点を十分に理解して処置することが必要です（表 B）．アンカースクリューに対する正しい知識を身につけましょう．

■ アンカースクリュー部の清掃方法

アンカースクリューの脱落にはさまざまな要因がありますが，なかでもスクリュー周囲組織の炎症がひとつの原因となります．それを防止するためには，植立後 2 週間経過時から歯肉上のスクリューヘッド部の清掃を行うことが大切です．矯正装置と同様に食物残渣によるプラークを除去し，丁寧に清掃します．

その際，注意すべき点として，過大な歯ブラシ圧は避け，歯ブラシ体部が接触しないようにします．患者さんには食事の際に硬い食物の接触による負担をかけないように指導してください．また，口腔内洗浄剤の使用も効果的です．歯の移動に際してエラストメトリックチェーンやコイルスプリングを併用することもあるため（図 E），それらの器具周囲の清掃もあわせて行うことが大切です．

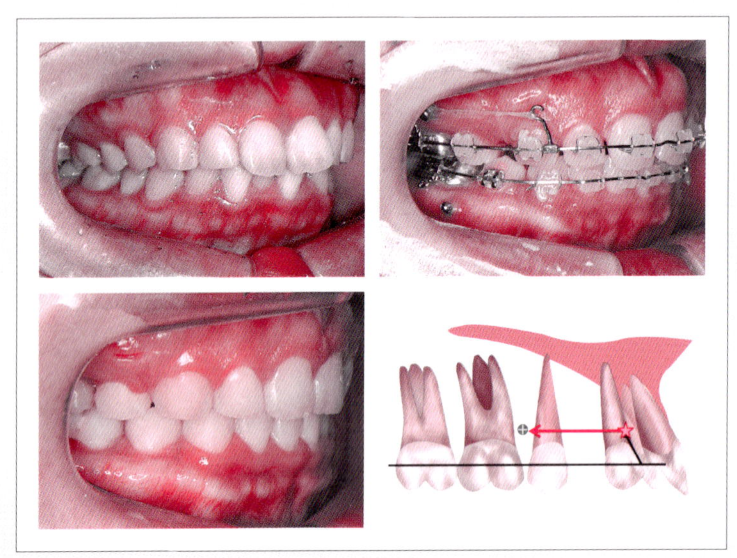

図 D　アンカースクリューを利用した牽引方法

表 B　アンカースクリューの利点・欠点

● 利点
1. 植立手技が比較的容易である．
2. 安価である．
3. 患者の負担は軽度である．
4. 患者の協力を必要としない．

● 欠点
1. スクリューの動揺や脱落がある．
2. 植立部位によっては歯根への接触の可能性がある．
3. 麻酔の処置が必要となる．

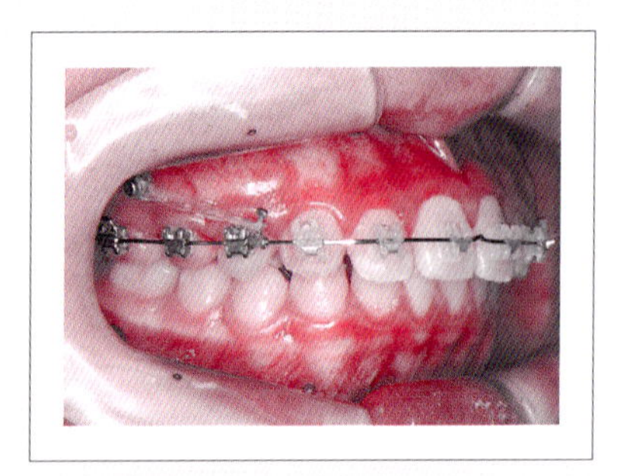

図 E　アンカースクリューやチェーン周囲の清掃

column 歯科用 CT と矯正歯科治療

■ 歯科用CT

CT (Computed Tomography) とは「コンピュータ断層撮影」のことです．人体に多数の方向からエックス線を照射し，透過したエックス線を検出器で読み取り，コンピュータを駆使したデータ処理と輪切りにした画像の再構成で断層写真をつくります．CT は三次元（矢状断・水平断・冠状断）で撮影できるため，見たい断面を細かく自在に分割表示でき，その断面を組み合わせることで三次元立体画像として構築することが可能となります．

装置を所有していなくても，外部医療機関やスキャニングセンターなどへの撮影依頼により CT データを取得することができます．

■ CTのメリット

CT により，顎，歯，口腔領域を含め，頭頸部の硬組織またその周辺組織の三次元画像による診断が可能となり，いままで経験と勘に頼ってきた二次元データより正確な情報を手に入れることができます．

・多くの情報として見えなかったものが見える．
・わからなかったものがわかる．
・より確実で正確な診断をすることができる．
・治療の安全性が広がる．

■ CT画像とパノラマエックス線画像

CT により三次元画像で正確な撮影ができるようになり，平面のパノラマエックス線画像では把握できなかった歯の状態や歯根の詳細な長さ，角度，位置を把握できます．たとえば，上顎犬歯の埋伏は，パノラマエックス線画像を撮影後，さらなる位置の把握のために CT を撮影します．そして埋伏している歯を牽引するのか，現状のままとするのか，抜歯と判定するのかを判断します．

図 A のように，上顎左右側の犬歯が埋伏していてパノラマエックス線画像では存在が認められても，他の歯の根尖部周辺の位置関係まで明確に診断することができません．しかし，CT によって三次元画像として表示することで，症状の診断だけでなく患者さんへの説明でも視覚的な理解を促すことができ，患者さんが安心して治療を受けることができます．

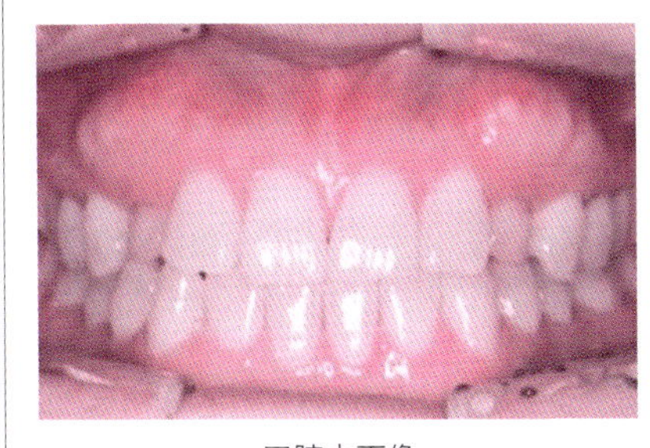
口腔内画像

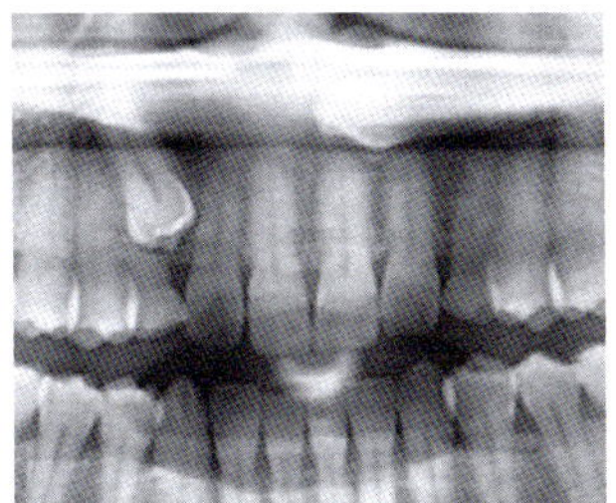
パノラマエックス線画像

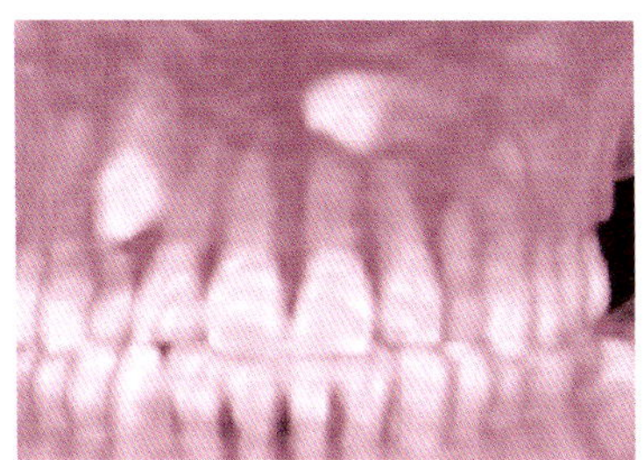
CT 画像

図 A　パノラマエックス線画像と CT 画像

■ CTと矯正歯科治療との関わり

●歯や歯槽骨形態の把握

歯の不正咬合は上下顎骨の変形が原因となっている可能性もあり，歯と顎骨の位置関係を把握することは適切な矯正歯科治療を行うための重要な要素です．従来の撮影では二次元の平面での撮影となり，診断に術者の経験を組み込んでいましたが，CT を取り入れることで歯と顎骨の位置関係や顎骨の幅，大きさの情報を得ることができ，さらに安全性の高い治療計画をつくることができます．

●歯科矯正用アンカースクリューの植立

アンカースクリューの安定をはかるためには，骨状態の把握やアンカースクリューと歯根との距離など，見えないところが見えることが大切です．特に，骨の周りの硬い部分の厚みについては，二次元データでは測定ができませんので，CT は非常に有用です．皮質骨の厚さ，歯根間の距離，上顎洞の位置などを立体的に把握できるCTはアンカースクリューを植立するうえで大変重要です．

●埋伏歯の位置情報の確認

埋伏歯の状態を確認する際，パノラマエックス線画像などでは情報が不足する場合，CTによる診断が必要となります．埋まっている歯を引き出す場合は，どの方向に引っ張っていくのか，隣の歯の歯根との距離感などCT撮影が有用な方法となります．

●第三大臼歯（智歯）の位置情報の確認

第三大臼歯（智歯）が横になって埋まったまま出てこない状況は多く，パノラマエックス線画像では位置の把握が難しい場合などに，CTによる診断が非常に役に立ちます．第三大臼歯（智歯）の埋まり方，歯根の形，神経や血管との距離などを正確に診断できます．

●気道の形態の確認

気道と呼吸は密接な関係性があり，気道の形態，大きさを知ることで呼吸や舌の位置を関連づけて考えることができます．したがって，気道の三次元的な評価が重要になります．

■ CTの放射線量

歯科用CTの被曝線量は0.01～0.1 mSv（Sv＝放射線の人体への影響を示す線量の単位）といわれ，医科用CTよりも低く，年間の自然放射線の量より低い値です．歯科治療時で撮影されるエックス線1枚の放射線量は約0.01 mSvほど，パノラマエックス線は約0.03 mSv，歯科用CTは約0.1 mSvです．被曝のリスクを考えると不要な撮影は行うべきではありませんが，より正確な情報を取得するためには，CT撮影をすることが患者さんの利益につながります．歯科治療や矯正歯科治療を行ううえで，すべては患者さんの利益を考えます．

第2章　知っておくべき

矯正歯科治療の流れ

佐藤　元彦

第2章

知っておくべき 矯正歯科治療の流れ

はじめに

矯正歯科治療とは，一般的に自分の歯を生かして不正咬合を治療することです．「歯並びコーディネーター」になると，一般の人に矯正歯科治療がどういうものかを説明する立場になります．したがって，治療に先立ち患者さんが知っておくべきこと，つまり，「歯並びコーディネーター」として患者さんに説明すべきことをきちんと理解しておく必要があります．

図1に矯正歯科治療の概略を示しましたが，矯正歯科治療は一般的にこうした一連の流れで捉えることができます．これらのなかに「歯並びコーディネーター」として理解しておくべきおもな事柄が含まれています．本章ではこの概略に沿って，初診相談，精密検査，検査結果の説明，矯正歯科治療の開始について，それぞれの項目ごとに解説します．

矯正初診相談

口腔内を診査して矯正相談を受けることを，矯正初診相談といいます．初診相談は実際には口の中を診て行うわけですが，これは歯科医師あるいは歯科衛生士の資格がないとできません．歯科医師，歯科衛生士以外の方が「歯並びコーディネーター」としてできることは，初診に至る前の段階，つまり最初に患者さんの相談を受けるまで，ということになります．

患者さんとの相談内容は多岐にわたりますが，矯正歯科治療を受ける際に，そもそもその必要性があるのか，そして精密検査の必要性があるのかについても知っておかなければなりません．矯正歯科治療の必要があっても，すぐに精密検査まで行う必要のない場合もあります．それらのことを患者さんに説明し，理解してもらわなければなりません．

通常，患者さんがもっとも知りたいと思っていることは，（なかなか口には出さないのですが）料金についてです．もちろん，矯正歯科治療で本当に治るのか，どのくらいの期間を要するのか，どんな装置を使うのかということについても当然知りたいのですが，特に感心が高いのは，矯正歯科治療の費用である場合が多いと思われます．このことを認識しておくとよいでしょう．初診相談料は一般的には数千円程度と思われますが，この金額により患者さんが治療を始めるかどうかが左右されます．歯科医院の経営にとっても大変重要なステップです．

Step 1
矯正初診相談

口腔内を診査し，矯正相談をお受けします．

Step 2
精密検査

エックス線写真，口腔模型の採取，歯や顔の写真撮影などを行います．所要時間は 30 分ほどです．
パノラマエックス線写真，頭部エックス線規格写真，CT 画像，口腔模型などの資料をもとに，コンピュータなどにより医学的分析，診断が行われます．

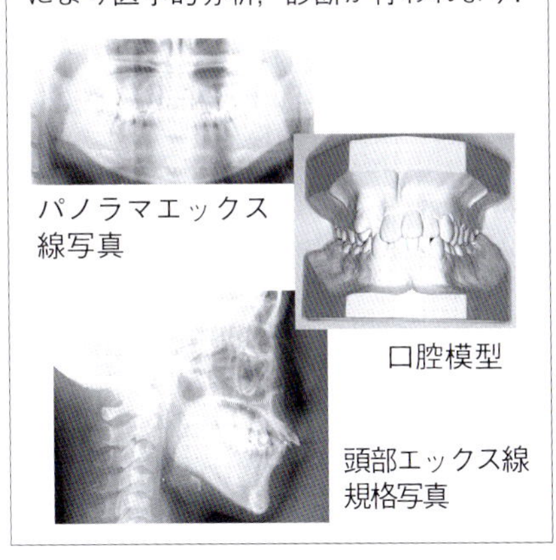

Step 3
検査結果の説明

治療方針，装置の種類，料金などについて詳しい説明をします．患者さんと矯正歯科治療を行うかどうかの最終判断についての相談が行われます．

Step 4
矯正歯科治療の開始

矯正歯科治療について患者さんの了解が得られた後に開始します．
むし歯や歯周病がみつかった場合は，それらの処置が終了してからの開始となります．
一般的に２～３回の診療の後に装置が装着されます．

図１　矯正歯科治療の流れ

精密検査

精密検査が必要となった患者さんでは，一般的にはまず口腔内写真やエックス線写真を資料として撮影します．エックス線写真には，数歯に限定したデンタルエックス線写真，あるいは全部の歯を撮影したパノラマエックス線写真，頭部の側面や正面あるいは斜め 45 度の角度から撮影した頭部エックス線規格写真などがあります．その他に必要に応じて顎関節（TMJ），CT などのエックス線写真も撮影します．

顔面写真は，できれば規格化して撮影しておくほうがよいでしょう．一般的には正面の顔貌，側貌あるいは笑顔や斜め 45 度の写真を撮ります．

その他，必要に応じて筋電図，筋機能検査，身体測定やエックス線写真の分析調査などを行うことが精密検査には含まれています．

顔面写真

矯正歯科治療を行った場合，単に歯並びが改善されるだけではなく，顔貌も改善されることが多いといえます．治療前後の比較，あるいは「あなたの顔貌は現在こうだから，こういうところをこういうふうに治していくんですよ」ということを患者さんに説明するうえで，顔面写真は不可欠です．

口腔内写真

口腔内写真も顔面写真と同様の意味で欠かせないものです．矯正歯科治療を行うと，口の中がどんどん変化していきます．したがって，その時々の状態を撮影して記録しておかないと，以前はどうだったかがわからなくなる場合があります．また，患者さんは治療が終わると，自分の歯並びがこれまでどのように悪かったかということをつい忘れがちです．矯正歯科治療をやってきちんと改善したにもかかわらず，「全然治っていない」というような表現をする患者さんもなかにはいます．そういう意味からも，口腔内写真をきちんと撮影しておくことが非常に大事です．

エックス線写真

全歯のエックス線写真であるパノラマエックス線写真に代えて，デンタルエックス線写真を十数枚撮る方法もありますが，現在はほとんどパノラマエックス線写真が用いられます．

口腔模型

口腔内，顔面の写真撮影のほか，口腔模型も作製します．模型は印象採得して台付けしますが，台をきちんとつけることで，かみ合わせの状態をしっかりと把握することができます．

患者さんによって，さまざまなかみ方がみられます．不正な歯列を有する人のかみ合わせとして一般的なものに上顎前突（出っ歯）があります．出っ歯の状態では，浅くかむ習慣があります．また，かみ合わせが逆，つまり受け口の人も，反対の状態でしっかりかんでいるわけではなく，切端でできるだけ自分の不正を軽くみせるようなかみ方をするという習慣があります．こうしたことは模型により判断することが可能です．

このように写真や模型，あるいは身長や体重なども含め，さまざまなデータを資料として記録し，それらを医学的に分析して診断していくことが矯正歯科治療における精密検査です．

検査結果の説明

精密検査をして診断がついたら，次は検査結果をもとに矯正歯科治療の目的と方針を決定し，それを患者さんに説明していくことになります（表1）．具体的には下記のような項目の説明が必要です．

矯正歯科治療の目的と治療方針

まず，矯正歯科治療の目的を説明する必要があります．「今回の矯正歯科治療はこういう目的のために，こういうことを行う」と，患者さんに明確に説明します．

治療方法

どういう治療方法を採用するか，患者さんにきちんと了解してもらう必要が

表1　患者さんへの精密検査の説明事項

- 矯正歯科治療の目的と治療方針
- 治療方法
- 矯正装置（どのような装置を使用するか）
- 矯正料金の支払い方法
- 通院期間ならびに通院間隔
- 矯正歯科治療終了までのおおよその治療計画
- 矯正歯科治療中の痛み
- 抜歯の必要性
- 健康保険の適用（唇顎口蓋裂，顎変形症などの特殊な疾患以外の患者さんには適用されない）

あります.「これからすぐ矯正歯科治療を開始します」，あるいは「もう少し待ってからにしましょう」,「矯正歯科治療だけではなく，外科的な処置も必要です」など，当然，手段や時期，目的は患者さんによって異なります.

一般的に，むし歯や歯周病など他の疾患があった場合，まずはそうしたものをきちんと処置してから矯正歯科治療に入ります．しかし，なかには根管治療など時間のかかる処置もありますので，矯正歯科治療と並行して行う場合もあります.

矯正装置

矯正装置についても詳細な説明が必要です．使用する装置は，大きく分けると可撤式と固定式の矯正装置があります（第3，4章参照）．可撤式は夜間のみ装着するものなど取り外しのできる装置です．固定式は，唇側にある装置と，舌側にある装置とに二分されます．また，唇側と舌側の両側にある場合もあります．さらに，目立つか，目立たないか，顎外固定装置（口の中の装置だけではなく，頭頸部や顎にも固定源としての力を加える方法）や歯科矯正用アンカースクリューなどを使う必要性の有無，ゴムを使う必要性の有無など，さまざまな説明をしなければなりません．装置の料金を伝えることも重要です.

矯正料金の支払い方法

矯正料金の支払い方法についても説明しなければなりません．患者さん側の要望もありますので，一括払い，分割払いなど回数や方法も含めて相談し，決めていきます.

通院期間ならびに通院間隔

通院期間は，患者さんがきちんとこちらの指示どおりにやっていただけるかどうかによっても変わってきます．特にそうした不確定な要素については，患者さんに十分説明し，理解してもらわなければなりません．期間は不正咬合の程度によって異なり，約6カ月から2，3年を要することが一般的です．その間は，最初に装置が入るまでに2，3回，その後はだいたい月に1回または2回という程度の通院回数です.

矯正歯科治療終了までのおおよその治療計画

さらに，矯正歯科治療終了までのおおよその治療の流れや治療計画，その他患者さんが注意すべき点，行わなければいけないことなどについても，説明する必要があります．

矯正歯科治療中の痛み

矯正歯科治療中の痛みについての説明は，少し難しくなります．一般的に口の中に装置が入った場合，大なり小なり多少の痛みが生じます．むやみに「痛いですよ」と伝えると，たいして痛くなくても，患者さんはすごく痛いというイメージを抱きやすくなり，怖くなってやめてしまうという場合があります．

参考までに筆者の場合は，「一般的に装置が入って１週間ぐらいは異物感や違和感があって，多少の痛みがあります」というような説明をします．「痛みがない」というのはありえませんし，かといって，「すごい痛みがある」という過剰なイメージを与えることもよくありません．

抜歯の必要性

抜歯の必要性についてはなかなか理解を得ることが困難で，十分な説明が必要です．患者さんは一般的に，健康な歯を抜歯する必要性があるのかということについて理解できません．基本的には顎の大きさと歯の大きさのバランスがどうしてもとれないときに，初めて抜歯が必要になります．その場合，「歯の数は少なくなっても，全体的なかみ合わせや審美的な面も含めて改善されることによって，よりよい治療結果が得られ，より健康的な状態になる」ということを，説明できなければなりません．

健康保険の適用

「健康保険が適用されるか否か」，これは患者さんからよくある質問です．矯正歯科治療の場合は，一般的には保険が適用されず，唇顎口蓋裂や顎変形症のような特殊な疾患に伴う場合のみ保険適用されます（表２）．ただし，顎変形症には保険適用の対象とならない場合もありますので，注意が必要です．

矯正歯科治療の開始

治療方針をきちんと説明し，そのうえで患者さん，あるいは子どもの場合にはその保護者が納得してから（インフォームドコンセント），矯正歯科治療を始めます．インフォームドコンセントが得られたところで治療開始となります（第４章参照）．

矯正料金に含まれるもの

矯正料金には，一般的には初診相談料，精密検査料，装置料（装着料を含む），処置料などが含まれます（表３）．矯正歯科治療は高いという印象があり

表 2　矯正歯科治療について保険診療が適用される疾患名（令和 5 年 4 月現在，おもな疾患名のみ掲載）

- 唇顎口蓋裂
- 顎変形症※
- ウイリアムズ症候群
- エリス・ヴァンクレベルド症候群
- 外胚葉異形成症
- 歌舞伎症候群
- 顔面半側萎縮症
- 顔面半側肥大症
- 顔面裂
- 基底細胞母斑症候群
- 筋ジストロフィー
- クリッペル・トレノネー・ウェーバー症候群
- 口腔・顔面・指趾症候群
- 骨形成不全症
- ゴールデンハー症候群（鰓弓異常症を含む）
- 鎖骨頭蓋骨異形成
- 色素失調症
- 小舌症
- 神経線維腫症
- スティックラー症候群
- 成長ホルモン分泌不全性低身長症
- 染色体欠失症候群
- 先天性ミオパチー
- 大理石骨病
- ダウン症候群
- ターナー症候群
- CHARGE 症候群
- 頭蓋骨癒合症
- トリーチャ・コリンズ症候群
- 軟骨形成不全症
- ヌーナン症候群
- 濃化異骨症
- ピエール・ロバン症候群
- ビンダー症候群
- プラダー・ウィリー症候群
- フリーマン・シェルドン症候群
- ベックウィズ・ウイーデマン症候群
- ポリエックス症候群
- マーシャル症候群
- マルファン症候群
- メビウス症候群
- ラーセン症候群
- ラッセル・シルバー症候群
- ルビンスタイン・ティビ症候群
- リング 18 症候群
- 6 歯以上の先天性部分無歯症
- 3 歯以上の永久歯萌出不全に起因した咬合異常※※
- その他顎・口腔の先天異常

※ 顎変形症に関連する矯正歯科治療について保険が適用されるためには，顎離断手術も行われることが条件．また，当該診療所が厚生労働省の定めた施設基準を満たしていることが必要とされます．

※※ 3 歯以上の永久歯萌出不全に起因した咬合異常について保険が適用されるためには，埋伏歯開窓術を必要とすることが条件となります（最新の情報については，厚生労働省の通知を参照）．

表 3　必要とされる各種矯正料金の項目

● **初診相談料**
初診ならびに矯正相談

● **精密検査料**
口腔模型，顔面写真，口腔内写真，パノラマエックス線写真，頭部エックス線規格写真，顎関節写真，身体測定などの項目が含まれます．
その他，CT 撮影などを行う場合は，別料金となることが一般的です．
（筆者の医院の精密検査料の料金には次の診断料も含まれております．）

● **診断料**
治療例のデータをもとに，適確な診断が行われます．矯正歯科治療を受けるうえで診断の適否がもっとも重要です．
診断しだいで治療結果に大きな差が出てきますのでご注意下さい．

● **矯正装置料（含装着料）**
診断結果に基づいて，不正咬合のタイプ，装置の種類などにより各段階のいずれかの料金を適用します．

● **管理・処置料**
矯正装置装着後，管理・調整にかかる料金です．

● **保定装置料**
矯正歯科治療終了後，一般的には保定装置（リテーナー）の料金が必要になります．

ますが，一般的に初めは初診相談料しかかかりません．

初診相談料には，初診および矯正相談料が含まれており，数千円程度が一般的ですが，なかには無料としている歯科医院もあります．

精密検査料は初診相談を行った結果，精密検査が必要となった場合に発生します．これには精密検査項目である口腔模型の採得や各種エックス線写真，顔面写真，口腔内写真撮影などの料金が含まれています．単価は歯科医院によって異なりますが，一般的には 2 ～ 5 万円くらいです．

装置料も，歯科医院によって差がありますが，数十万～ 150 万円くらいまでの場合が多いようです．

処置料は「装置の調整料」という言い方をする場合もあります．矯正歯科治療では，装置が入って終わりではなく，むしろそこからスタートするわけで，毎月処置料が発生することになります．

支払いのシステム

一般的な料金体系は上述のとおりですが，歯科医院によって支払いのシステムが大きく二分されます．一つには，トータルフィー，つまり治療全体の総額を算出し，それを毎月分割して支払うというシステムがあります．もう一つは，装置料と処置料とに分けて支払うシステムです．

矯正装置の装置料（装着料を含む）は，診断結果，不正咬合のタイプ，装置の種類などにより異なり，各段階のいずれかの料金が適用されることになります．最初に「いくらですか」と聞いてくる患者さんがよくいますが，それは診断結果に基づいて，治療方針や方法など患者さんとよく話し合ってからでないと，実際には決まりません．つまり，不正咬合のタイプや選択した装置の種類によって，料金体系は当然変わってくるのです．すべての不正咬合の状態が全

column 矯正歯科治療の医療費控除について

医療費控除とは，所得税および個人住民税において，自分自身や家族のために医療費を支払った場合に適用される控除のことです．その年の 1 月 1 日から 12 月 31 日までの間に自己または自己と生計を一にする配偶者やその他の親族のために医療費を支払った場合において，その医療費が一定額（一般に 10 万円）を超える時は，その医療費の額をもとに計算される金額の所得控除を受けることができます．

■ 矯正歯科治療にかかわる医療費控除

矯正歯科治療を受診した場合，医療費控除を受けられる場合と受けられない場合とがあります．矯正歯科治療が審美目的のためのみであった場合は，医療費控除の対象とはなりません．しかし，ほとんどの患者さんは機能的改善も必要ですので，医療費控除の対象となるはずです．

子どもでも大人でも矯正歯科治療が機能的な問題の改善などの医療行為を目的としている場合には，医療費控除が認められます．したがって，認められた場合は一定金額の所得控除が受けられ，医療費控除の還付金を受け取ることができます．

医療費控除の適用を希望する場合は，税務の担当者によっては，矯正歯科治療が機能的目的のために必要であるということについて，医院からの証明書や診断書の提出を要求される場合があります．この場合は当該医療機関において税務の確定申告の際に提出するということを伝えれば，必要な書類を出してくれると思います．

以上が医療費控除の概要です．矯正歯科治療を受けた患者さんは，税務申告の際は忘れずに医療費控除の手続きを取ることをお勧めします．

く同じではないように，料金体系も変わることになります．
　管理・処置料は，治療を開始した時点で発生します．

子どもの矯正と大人の矯正の違い

　患者さんからよくある質問に，子どもの矯正と大人の矯正の違いに関するものがあります．表4に違いが現れる項目を列記しました．そのうちのいくつかの項目について，補足説明を加えておきます．

成長発育の有無

　成長発育の有無は，大人と子どもでもっとも大きな違いのある項目です．子どもの場合は成長発育があり，大人の場合はそれがないために，矯正歯科治療においてもすべての面において当然ながら差異が生じます．

装置外観の許容度

　装置外観の許容度については，大人の場合，あまり目立つ装置は仕事など社会生活を送るうえでできれば避けたい，ということがあります．一方，子どもはあまり問題にしない（本人の希望にもよりますが）など，異なります．
　装置を歯列の舌側に装着したり，透明の装置を利用したりするなど，目立たなくすることができますので，患者さんのニーズにあわせて矯正装置を選択し，検討していきます．

装置の感受性

　装置の感受性とは，矯正装置を口腔内に入れた場合に，我慢していられるかどうかということです．
　特に，しゃべることを職業にしている人の場合などは，工夫しないと，装置を入れられないということがあります．

歯周病，歯の損傷，欠如

　歯槽膿漏や歯肉炎などがある場合とない場合があります．また，歯が欠けていたり，抜歯したりしている場合もあります．大人の場合はこうしたことが起こりやすいといえます．一般的には歯科治療終了後に矯正歯科治療を行いますが，両方の治療を並行する場合もあります．

表4　子どもの矯正と大人の矯正の違い

- 成長発育の有無
- 装置外観の許容度
- 装置の感受性
- 会話
- 歯周病
- 歯の損傷，欠如
- 咬合性外傷
- 全身の健康状態
- 協力度
- 理解度
- 社会環境上の許容度

協力度，理解度

大人は一般的に協力度が良好であるといえます．これは患者さん自身が治療に積極的であるためです．理解度についても当然ながらよいのですが，時に間違った理解をしている場合がありますので，その点には注意が必要です．

治療途中でも，「これをするのはこういう目的のためですよ」，「こんなに効果が上がっていますね」などと，随時患者さんに話すと，患者さんの理解も得られやすいと思われます．

矯正歯科治療中に患者さんがすべきこと

治療の主体はあくまでも患者さんにあります．良好な治療結果を得るためには患者さんがすべきことはきちんと協力してもらわなくてはなりません．これはあたり前のことですが非常に大事なことです．患者さんと接するに際して，「歯並びコーディネーター」はその重要性を理解しておかなければなりません．

1つ目は，まずはきちんと通院してもらうことです．2つ目は，術者の指示（たとえば，ゴムをかける必要がある場合には，ゴムをきちんとかける）を守ること，そして3つ目は，日常の口腔清掃を正しく行うということです．

健康医療における矯正歯科治療

近年，特に重要視されている健康医療とは，「疾病を予防し，健康を維持増進するための医療」と定義されています．矯正歯科治療はまさにこの健康医療の領域に属する医療といえます．したがって，矯正歯科医は健康医療全般についてもある程度の知識を修得している必要があります．

ちなみに厚生労働省によると，日本人の寿命は表5のようになっています．

健康医療が広まった根底には，不健康な期間をできるだけ短くし，健康寿命を伸ばすことが重要であるという考えがあります．矯正歯科治療を進めていくうえでも，この考え方を忘れてはなりません．

歯科医学は医学の一分野であり，歯科医療は医療の一領域であるということは当然ですが，口の健康と全身の健康とが密接に関連しているということについてはまだよく理解されていないのが実状です．たとえば「歯性病巣感染」という言葉がありますが，これは歯科疾患が起因して全身的な疾患を起こすことです（図2）．

Notes

健康寿命

単に死ぬまでの時間を平均した平均寿命に対し，自立して日常生活を送れる年齢のこと．平均寿命と健康寿命の差を不健康期間としている．

表5　日本人の寿命

	男性	女性
平均寿命	81.41歳	87.45歳
健康寿命	72.68歳	75.38歳
不健康期間	8.73年	12.07年

（厚生労働省，2019）

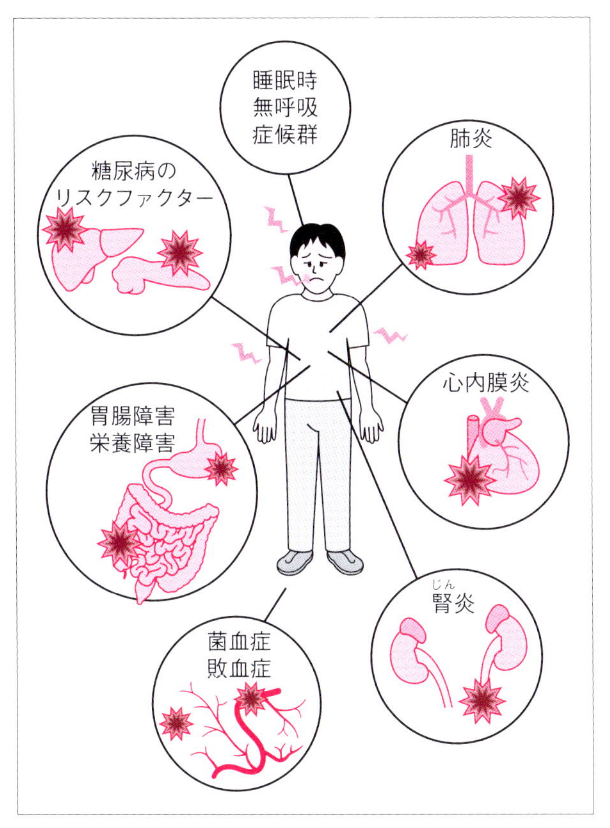

図 2　歯性病巣感染

（東京都歯科医師会発行の小冊子より）

表 6　不正咬合が誘因となる各種疾患

- むし歯，歯周病
- 咬合性外傷，咀嚼障害，顎関節症
- 褥瘡性潰瘍，胃腸障害，口腔癌
- 頭痛，耳鳴り，肩こり，腰痛，便秘
- 不眠症，睡眠時無呼吸症候群
- 栄養障害，発音障害，不定愁訴など

表 7　大人における矯正歯科治療の動機づけ

- 子どものとき，矯正歯科治療を希望しなかった．
- 子どものとき，矯正歯科治療を知らなかった．
- 子どものとき，近くに矯正歯科医がいなかった．
- 子どものとき，行った矯正歯科治療が不完全であった．
- 子どものときに矯正歯科治療をしたが，後戻りした．
- 経済的に矯正歯科治療をする余裕がなかった．
- 不正咬合が他の疾患の誘因となった．
- 補綴処置などの前準備として必要となった．
- 大人になってから，不正咬合が増悪した．
- 大人になってから，外観が気になってきた．

また，われわれの領域となる不正咬合についても表 6 のような疾患の誘因となることがあるため，これらの疾患についてもそれなりの学識，専門知識をもっていることがこれから矯正歯科治療にかかわる医療者には要請されています．

おわりに

現在は医療の進歩により大人になってからでも，矯正歯科治療ができるようになってきています．そうした患者さんへの，あるいは患者さん自身の行動を促す動機づけとなる項目を表 7 にまとめました．「歯並びコーディネーター」として，患者さんをよりよく理解し，また患者さんに矯正歯科治療について正しく理解してもらうために，参考にしてください．

第3章　不正咬合の原因と口腔習癖

石野　善男

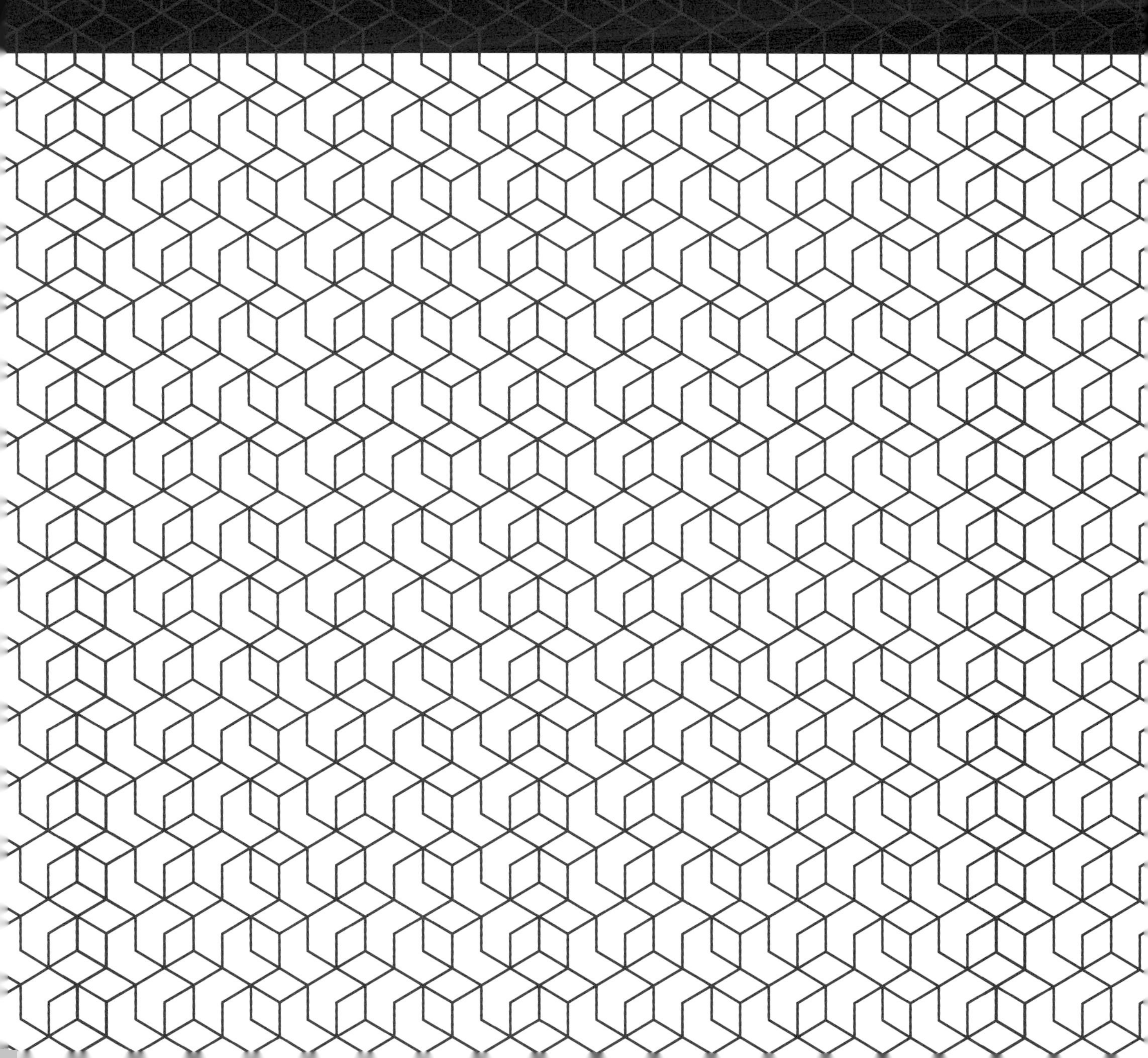

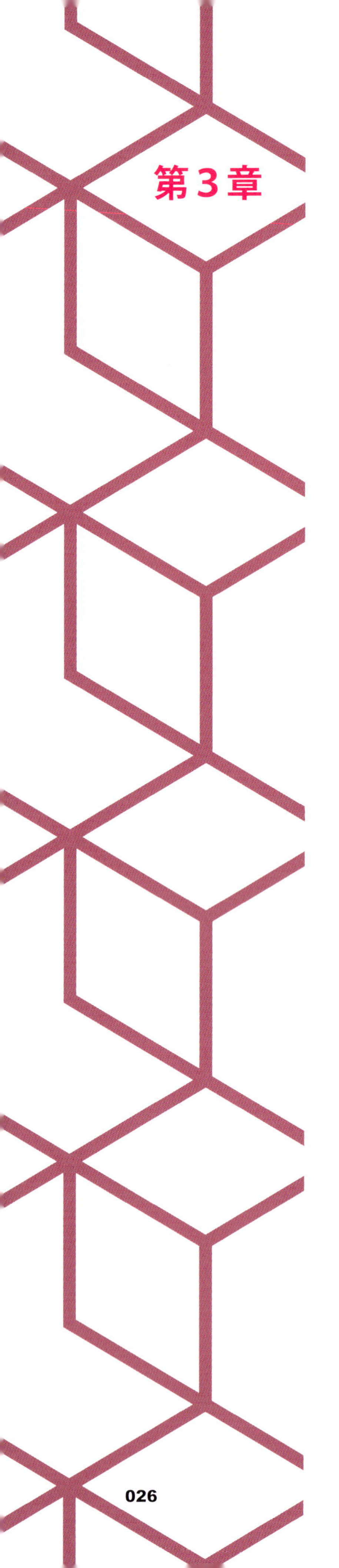

第3章

不正咬合の原因と口腔習癖

口元の品格

日常において特に気にしていなくても，口はとても働き者で重要な役割をしています．「生きるということは食べるということ」といわれるように，われわれが生きるために不可欠な食べるときには「消化器官」の入り口として，また鼻と並んで時には「呼吸器官」として，さらに会話するときや歌を歌うときの発語，発声などさまざまな機能を果たしています．またこのような機能以外にも口の形やその動きが他人からは個性として捉えられ，その人に対する印象を形成したり，感情などの表出となったり，時には「ものを食べるときの食べ方が嫌い」などと，他人にある種の感情を抱かせることもあります．

このため，筆者は口元にも品格が必要と，「口元の品格」を提唱しています．

口腔軟組織

一般的に歯科には歯だけを扱うイメージがありますが，もちろんそれだけではありません．歯周病で問題になる歯ぐきや顎骨に加え，粘膜や口腔周囲の軟組織も扱います．歯科が扱う領域を，「原則として口唇，頰粘膜，上下歯槽，硬口蓋，舌前2/3，口腔底，軟口蓋，顎骨（顎関節を含む），唾液腺（耳下腺を除く）」とする認識もありますが，近年，歯科による歯と歯ぐき，歯のかみ合わせに加え，口腔軟組織を含めた口腔機能に対する総合的なアプローチが注目されています．

実際に，平成30年度診療報酬改定において，歯科の新病名として「口腔機能発達不全症」と「口腔機能低下症」が収載されました．また，「口腔機能発達不全症に関する基本的な考え方（日本歯科医学会）」では，表情筋緊張，異常嚥下癖，口呼吸などの用語とともに，「口腔習癖」の記述がなされました．

これらは超高齢社会のわが国における「健康長寿の延伸」にも寄与するため，「生きる力を支える歯科医療」としてますます重要視されてきています．

不正咬合の原因と口腔習癖（表1）

不正咬合とは上下の歯のかみ合わせの問題です．これらには遺伝が関連することもありますが，生まれつき（先天的）の問題によるものと，成長発育の過程やそれ以降（後天的）に出現する問題によるものとがあります．

具体的には，個々の歯やその他の組織自体の大きさや形の問題，またはそれらが存在する場所が不良であるという問題があります．さらにはそれらに加えて歯が生える顎骨自体の大きさや上下顎の相互の位置関係による，いわば土台

表1　不正咬合の原因

- 遺伝
- 環境因子
  - 先天的＝歯の数の異常
  - 後天的＝歯の早期喪失
    - 軟組織の器質的問題
    - 口腔習癖

表2　口腔習癖が影響すること

- 開咬（前歯がかみ合わない）
- 上顎前突（出っ歯）
- 上顎歯列弓の狭窄
- 反対咬合（受け口）
- 交叉咬合
- 空隙歯列
- 口元の突出感
- アデノイド顔貌
- 表情
- 咀嚼，嚥下障害
- 発音障害，入れ歯（床義歯）の不安定，歯の病的移動など

の問題などが組み合わさって不正咬合が起きることが知られています．

ところが，上述の問題とは別に，歯や顎などに力となって作用する口腔周囲の軟組織の状態，さらにはその動きやある行為などが不正咬合と関連することがあります．

歯や顎などに影響を与えて不正咬合に関与する好ましくない習慣的な行為を「口腔習癖」といいます．

「口腔習癖」は成長期の子ども（ときには大人にも）にしばしばみられますが，習癖があるからといって必ず不正咬合につながるというわけではありません．時として歯並び，かみ合わせ，顎の成長，顔つきにまで影響することがあります．また，これは咀嚼，嚥下，発音などとも関連しますので，これらに関する正しい知識をもつことは，矯正歯科治療だけではなく，成人も含めた歯科全般における保健指導においてもとても重要なことです．

口腔習癖が及ぼす影響

表2に，口腔習癖によって起こりうる影響を列挙しました．

1～6つ目までは不正咬合の種類です（詳細は第1章で解説）．上述のとおりすべての不正咬合の原因が口腔習癖だけにあるわけではありませんが，不正咬合の治療と治療後の安定のために，口腔習癖の有無についてあらかじめ診査することは必須です．

7つ目以降は不正咬合以外への影響ですが，「口元の突出感」については，日本成人矯正歯科学会学術大会で「E-ライン・ビューティフル大賞」を授与しているのでご存知かも知れません．この原因は，おもに上顎前突（出っ歯）によるものですが，この「口元の突出感」など口元の審美的な改善は患者さんが矯正歯科治療を希望する主訴として少なくないことは知っておくべきです．また，これによって「口唇閉鎖不全」を呈していれば健康にも影響しますので，医療としてこれを改善することは必要です．

さて，矯正歯科治療では，このような前歯を後退（引っ込めること）させることで，かみ合わせと突出した口元を改善することが可能ですが，この前歯が前へ飛び出した原因に，後述する指しゃぶりや舌突出癖などの「口腔習癖」が

関与することがあります．この場合には原因となっている「口腔習癖」を取り除くことが重要です．

「アデノイド顔貌」の「アデノイド」とは，のどの上咽頭（鼻の奥から口の奥の間）の部分にあるリンパ組織の咽頭扁桃のことですが，これが特に大きくなる症状（咽頭扁桃肥大症）を指す場合もあります．

この咽頭扁桃は，一般的に幼児期のときには生理的に大きく，5歳頃をピークにしてだんだん小さくなっていきますが，肥大が極端な場合には鼻気道が狭くなり，鼻呼吸が困難になると必然的に「口呼吸」を誘発します．これが慢性化して長期間続くと，鼻呼吸が可能であるにもかかわらず口呼吸が習慣となってしまいます．

「アデノイド顔貌」とは，このように口呼吸が習慣となると結果的に開口状態が続くことから，臼歯が過挺出傾向となって咬合が変化し，下顎が後方回転して面長で顎から頸のくびれの少ない顔貌（顔つき）になってしまうことです．また，睡眠時に舌根沈下が起きやすい傾向もあり，睡眠障害の影響から寝不足の目つきなどの表情も含め，顔全体に締まりがない典型的な顔貌となることを指します．

9つ目以降ですが，口腔周囲筋は表情筋とも関連することから，「表情が乏しい」などの印象に影響します．「咀嚼，嚥下障害」は高齢者の問題になっていますが，若年者からこれらの問題が存在することがあることについては，もっと重要視されるべきです．また，発音に唇や舌などが影響することはよく知られています．一般歯科治療においても入れ歯（床義歯）の不安定や歯の病的移動，前歯の着色，舌痛症，ドライマウス，歯ぎしりや顎関節症などに関連するため注目されています．

口腔習癖の種類

表3は，不正咬合の原因になり得る口腔習癖の一覧です．こうした行為のすべてが必ずしも不正咬合を誘発するというわけではありませんが，その行為の様相，力の強さや頻度，習癖を行う期間の長さなどによっては不正咬合の原因となることがあります．

弄指癖（吸指癖，手指吸引癖，拇指吸引癖）

いわゆる「指しゃぶり」です．典型的な親指の指しゃぶりは「拇指吸引癖」

表3　口腔習癖の種類

- 弄指癖（吸指癖，手指吸引癖，拇指吸引癖）
- 弄舌癖（舌癖，舌突出癖，咬舌癖，吸舌癖）
- 弄唇癖（咬唇癖，吸唇癖）
- 口呼吸
- 異常嚥下癖
- 頬づえ，睡眠態癖
- その他（毛布，タオル，玩具，鉛筆，爪かみなど）

といいます．親指以外にも人差し指やその他数本の指によることもあります．胎児や乳幼児期の指しゃぶりは生理的な現象であり，一般的には 4，5 歳頃までにほとんど自然消失するといわれていますが，乳歯列期でも指のしゃぶり方，吸引の強さ，頻度，期間によって，これが歯を動かす力として働くと乳歯列の前歯にも開咬や上顎前突などの不正咬合がみられることがあります．しかしながら永久歯が萌出する前，つまり乳歯列期中にやめられれば，その後の永久歯列の発育には重大な影響を及ぼすことが少ないとされています．

一方で，永久歯が生えはじめた混合歯列期以降も続く指しゃぶりは，もはや幼児期の生理的な現象ではなく，また永久歯列の咬合と発育にも影響を与えるのでやめさせる必要がある好ましくない習癖と捉え，これを「口腔習癖」としています．

指しゃぶりをやめさせるのに適しているのは乳歯列期であるというのがポイントです．ちなみに，通常は指しゃぶりによって個々の歯の位置異常（叢生，捻転）への直接的な関係は少ないとされています．

さて，このような習癖ですが，やめさせるには注意が必要です．無理にやめさせたことで別な好ましくない行動，たとえば自分の髪の毛をかきむしって抜いてしまうというような代償的な他の行動を引き起こすことにつながることがありますので，指導には十分注意を払う必要があります．

症　例①

拇指吸引癖により乳歯列に不正咬合を生じた症例です．

図 1 は初診時年齢 3 歳 11 カ月の男児で，頻度は少し減少したとのことですが，就寝時に拇指吸引癖がみられました．吸引のときに下顎の前歯でかんでいるので指に「たこ」ができます（図 1-⑥）．この「たこ」を確認することが大切です．ちなみに爪かみの症例では，爪が非常に短くなっていることで確認できます．

図 1-⑤は上下の前歯のかみ合わせを下方からみたものですが，上の前歯の叢生と前突，および開咬がみられます．切歯はものをかみきる歯ですからこのままでは問題です．

図 2 は指しゃぶりをやめる指導（MFT，後述）後の 5 歳のときの状態です．不正咬合の状態との変化が確認できます．指の「たこ」もなくなりました（図 3）．

症　例②

混合歯列期の拇指吸引癖の症例です．

図 4 は初診時年齢 8 歳の男児で，拇指吸引癖による上顎の前歯の前突と開咬がありました．また，指しゃぶりをしていないときにも，前歯の開咬部分に日常的に舌を挟む舌突出癖と，ものを飲み込むときに異常な飲み込み動作をしてしまう異常嚥下癖も合併していました．前突した前歯に上の唇が引っかかり口が閉じにくい状態で，普段はいわゆる「ポカン口」の状態です．「唇を閉じ

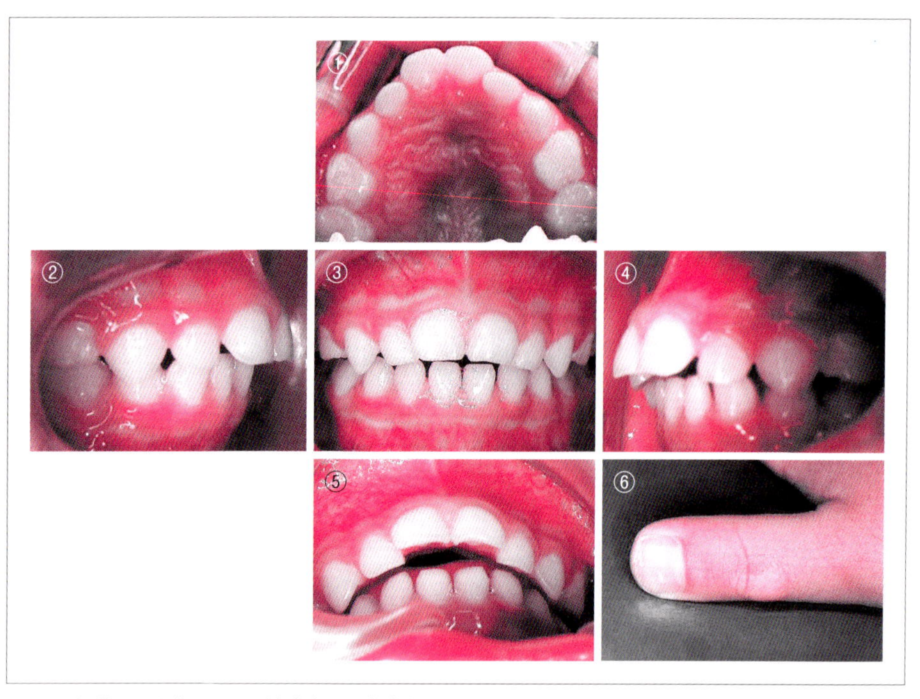

図 1　拇指吸引癖のある前歯部開咬症例（3 歳 11 カ月，男児）

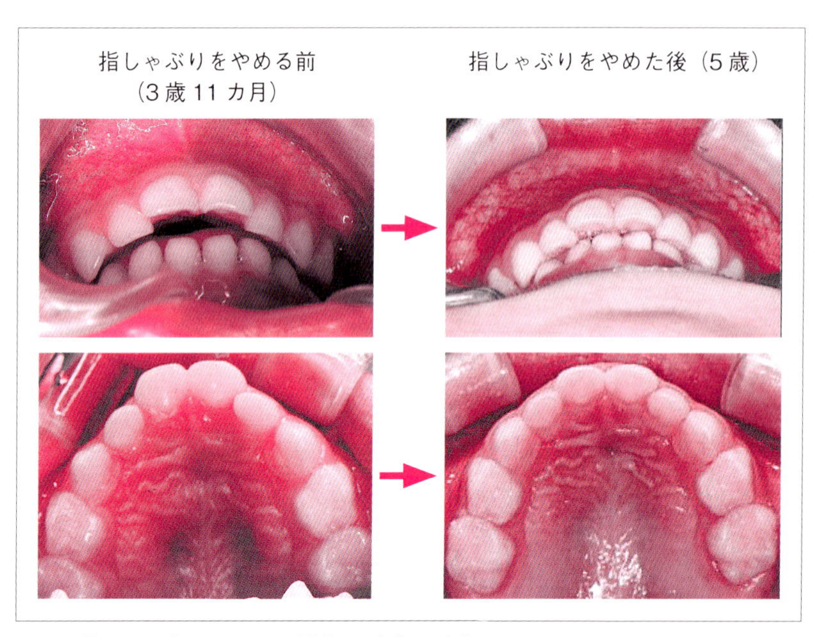

図 2　指しゃぶりをやめる前後の咬合の変化

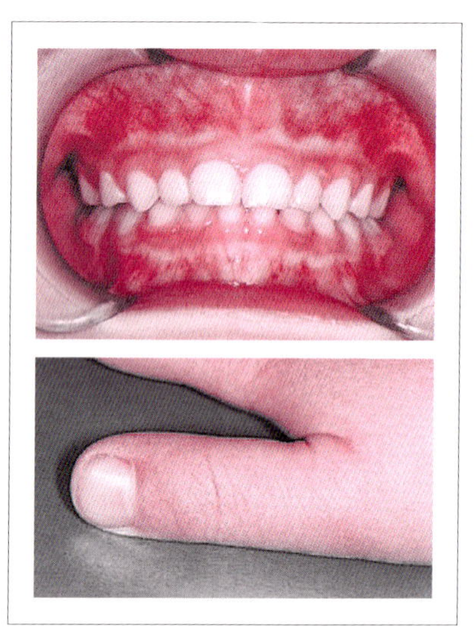

図 3　MFT 後の経過（5 歳）

て」というと閉じようとしますが，やはり上顎前歯に引っかかり，上唇の口裂のラインが左右口角を結ぶラインまで届かず，下唇が通常の安静時の下唇の口裂のラインを越えて上唇に触れようと持ち上がるため，いわゆる「への字口」になり，さらに無理に閉じた下唇に引かれ，過剰な力が入ったオトガイに梅干し様のしわができています．側貌でも，無理して閉じて生じたオトガイのしわと口元の突出感が認められます．

MFT（口腔筋機能療法）の訓練前後で比較すると，まるで別人のようです（図 5，6）．側貌からはまだ突出感はありますが，口は少し閉じやすくなって

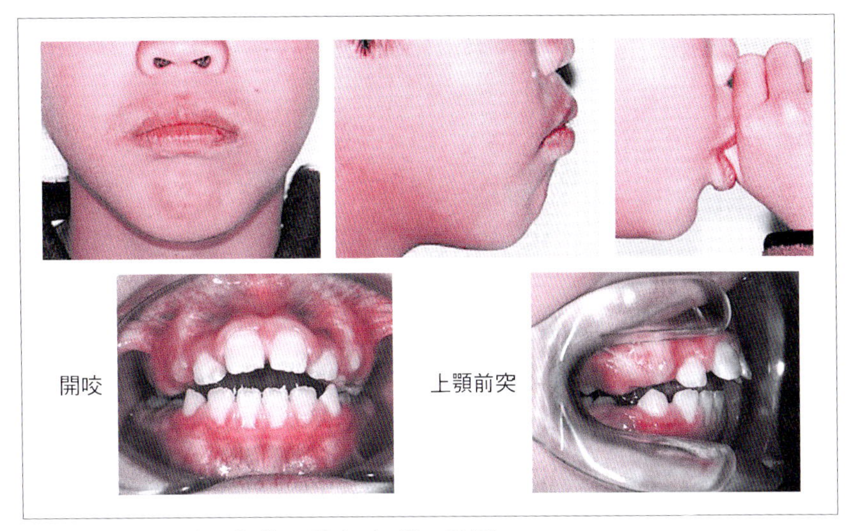

図 4　混合歯列期の拇指吸引癖（8 歳，男児）

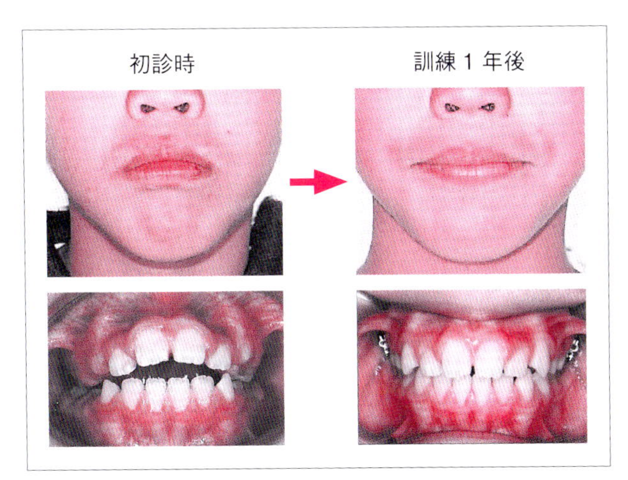

図 5　MFT 前後の変化（正面）

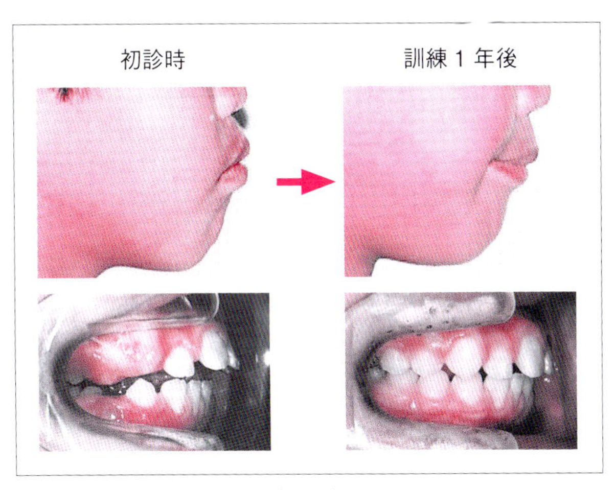

図 6　MFT 前後の変化（側面）

います．

このように歯に矯正装置を装着しなくとも，口腔習癖の消失によって前歯の開咬状態がある程度改善がされました．永久歯列期に口元の突出感と個性正常咬合の確立のためにマルチブラケット装置による本格矯正を行い，治療を終了しました．その後も患者自身が MFT を含めた定期的なチェックを希望されているので，咬合と機能の長期安定をはかるため経過観察を続けています．

弄舌癖（舌癖，舌突出癖，咬舌癖，吸舌癖），異常嚥下癖

安静時（黙って口を閉じてリラックスして鼻呼吸をしているとき）の舌の位置を「舌の姿勢位」といいます．

このときの舌の正しい姿勢位は，「スポット」と呼ばれる，上顎口蓋の切歯乳頭（上顎の真ん中の前歯に近い歯ぐき）後方部に舌の先端が触れて，同時に舌全体が上顎口蓋の凹んだ部分にすっぽりと収まっている状態をいいます（図 7）．安静時に特別に意識しないでもこのような状態のときに「舌が正しい姿勢位にある」といい，上下の前歯の間で舌を挟み出したり，かんだり，吸った

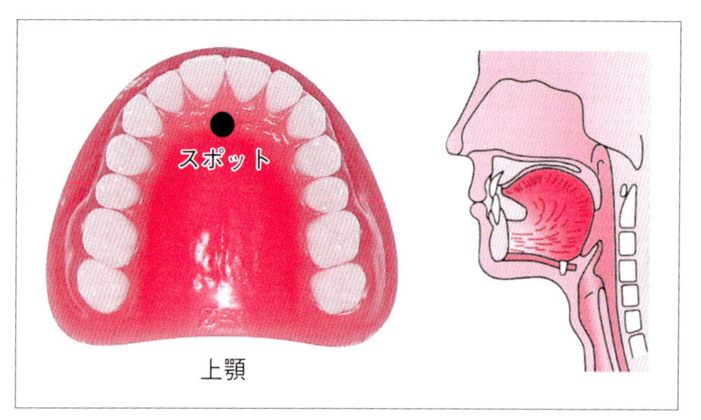

図 7　正しい舌の位置

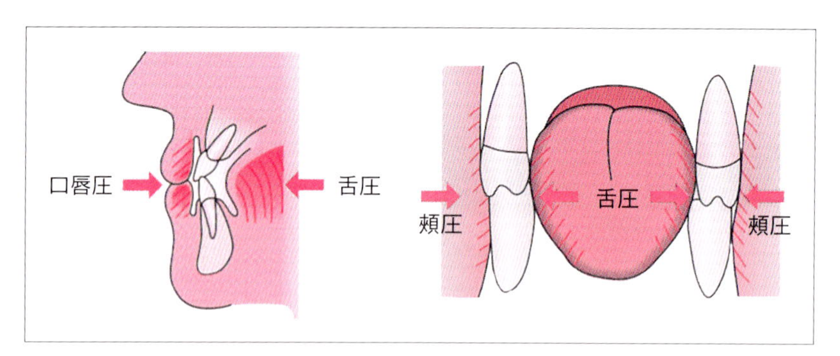

図 8　歯列に対する内方圧と外方圧　（デンタルハイジーン，Vol.10，2004.）

りする場合を「弄舌癖」といいます．

正常な嚥下においては，舌の先の位置は「スポット」のまま，それより後方の部分が順次動き，食塊などをのどに送ります．このとき口唇は閉じたままです．しかし，嚥下のときに舌先がスポットを離れ，舌を前に押し出すなどの癖がある場合は「異常嚥下癖」といい，前歯部の前突，開咬や空隙歯列などの不正咬合の原因となることがあります．

舌が正しい姿勢位を保ち，嚥下や，舌と舌以外の口腔周囲軟組織の歯列に対する圧力のバランスが正常であった場合，そのバランスのなかに配列された歯列は安定しやすいとも考えられます（図 8）．

症　例③

図 9 は舌突出癖を有する初診時年齢 8 歳の男児の前歯部開咬症例です．普段から舌の位置は上下の歯の間に挟まっていて，口唇閉鎖もされていません．「つばをゴクンと飲んでみて」というと，舌をベロンとさらに前に突出させる異常嚥下癖（図 9-⑤）もありました．

舌や口唇などの口腔周囲筋の好ましくない圧力バランスによって歯が不正に位置しています．このように口唇や頬と舌の圧力が不調和であると，開咬や上顎前突などの不正咬合の原因となります．また，舌が口蓋に上がっていない状態が続くと，臼歯が外側からの圧力によって内側に押されてしまい，歯列の幅が狭くなり，交叉咬合などの不正咬合につながることもあります．

図 10 は MFT 前後の比較です．

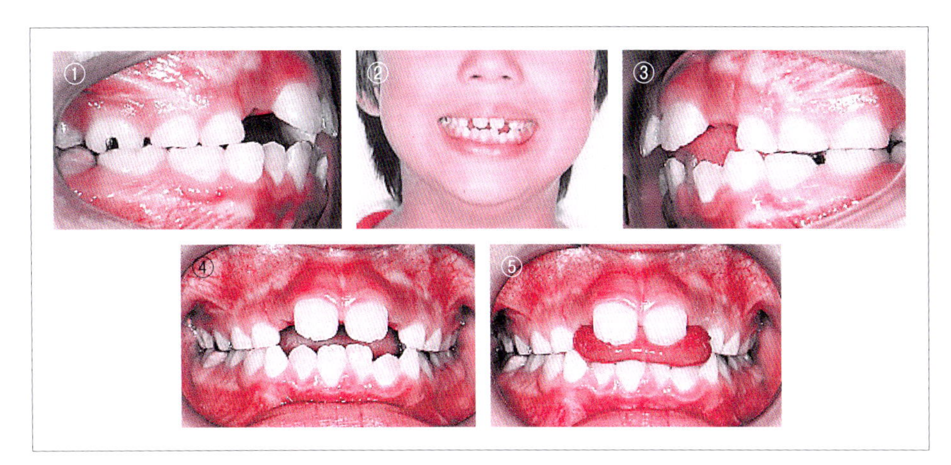

図 9　舌突出癖のある前歯部開咬症例（8 歳男児）

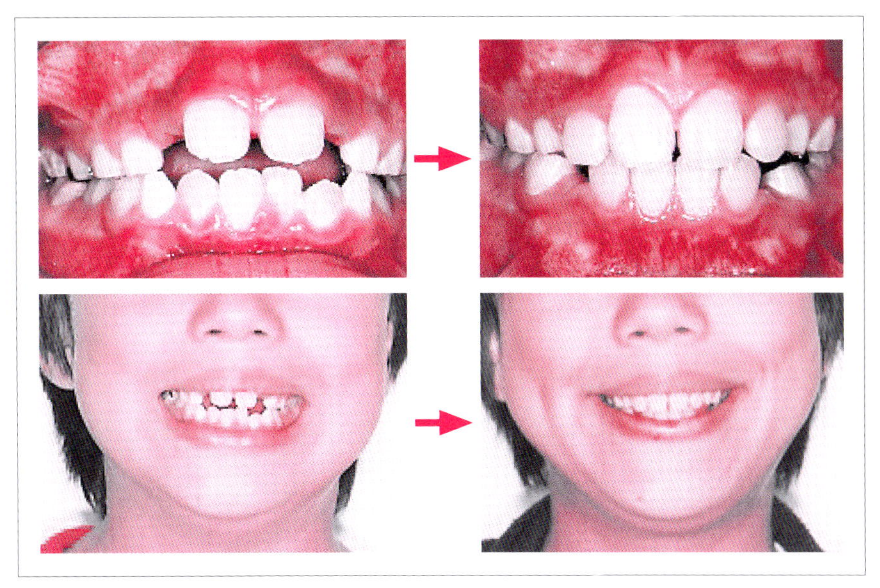

図 10　MFT 前後の変化

口呼吸

アデノイド顔貌のところで触れたように，口呼吸が習慣化すると口唇，舌，下顎，頭部の位置にさまざまな影響を及ぼし，不正咬合とともに顔貌にも影響を与えることがあります（図 11）．もし，鼻呼吸を妨げるアデノイドや口蓋扁桃の肥大，鼻部の炎症，アレルギーなどの問題がある場合は，耳鼻咽喉科やアレルギーの専門医に改善を求める必要があります．

口腔機能の回復のためには，このような異常な舌，顎，頭のポジション（姿勢位）の改善，さらに体幹の正しい姿勢もとても重要です．

その他の口腔習癖

「咬唇癖」とは唇をかむ習癖です．下唇を上顎前歯でかむ下唇がみは，上顎前突でしばしばみられます．下唇をかみ込む力でさらに上顎前歯は前突し，また下顎前歯は舌側に押し込まれて叢生の原因となりますが，この力は歯だけで

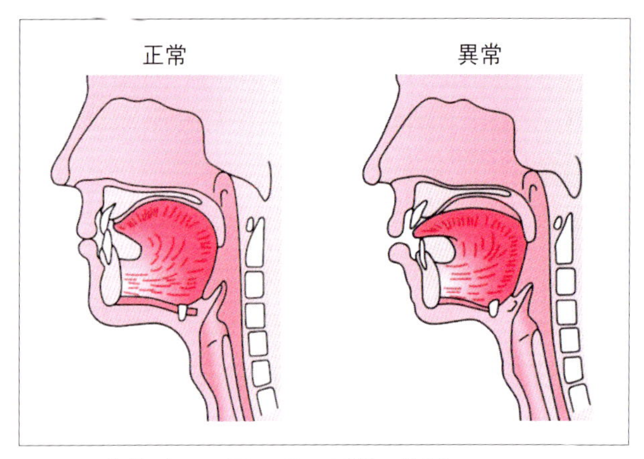

図 11　安静時の口唇，舌，下顎の位置

（デンタルハイジーン，Vol.10，2004.）

はなく骨格にも悪影響を与えることがあります．

このほか，頬づえやうつぶせ寝などの睡眠態癖，楽器演奏時や用具の使用時の決まった姿勢や動作などによって，歯が押されたり，上下の顎のかみ合わせのズレや顎自体を変形させる力が継続することなどで，不正咬合が生じるのではないかといわれることもあります．

また，おしゃぶり癖を含め，鉛筆，タオルなどのさまざまな物品も，時として手指，唇，舌による習癖の代用となります．赤ちゃんのおしゃぶりには口呼吸防止の効果もあるかもしれませんが，逆に，指しゃぶりと同様のマイナス効果もありえます．問題があれば矯正歯科や小児歯科の先生に相談するようアドバイスして下さい．

MFTによる対処

MFT（Oral Myofunctional Therapy；口腔筋機能療法）は，口の周りの筋肉の働きを正常化させることを目的として開発された医療アプローチで，指しゃぶりや舌癖などの口腔習癖による口腔周囲筋の不調和に起因する不正咬合の患者さんに対して指導される機能訓練療法です．MFT は米国にて矯正歯科医と言語療法士によって確立され，日本では現在，矯正歯科や小児歯科の臨床において，おもに訓練された歯科衛生士が行っています．

MFT の目的は，口腔周囲筋の筋力バランスを整え，また，それぞれを正しいポジションに安定させ，かつ正しく機能させることです．そのためには，歯と歯列にかかる内方圧と外方圧（図 8），各組織の正しいポジション，口腔周囲筋の機能や力を正しく理解して実施する必要があります．

MFTにおける機能訓練

MFT の実施にあたっては，事前診査と正確な診断が必要です．患者さんの情緒や生活環境も含むさまざまな習癖の原因や関連するすべての問題点を洗い出し，個々に適した訓練スケジュールを立てます．訓練の妨げとなったり，また訓練だけでは改善できない，たとえば身体の組織の器質的な問題や合併症の

表 4　MFT の機能訓練（基礎訓練と習慣化訓練）

- 筋力訓練（舌筋，口輪筋，頬筋，咬筋など）
- 安静位の習慣化訓練（舌，口唇，下顎）
- 咀嚼・嚥下の機能訓練（食物，ガム咀嚼訓練）
- 発音時の機能訓練
- 表情筋訓練

有無も把握し，必要によっては他科との医療連携をはかります．

訓練には基礎訓練と習慣化訓練があります（表 4）．

①筋力の正常化訓練からはじめます．歯列咬合に影響を及ぼす口腔習癖の改善とともに舌筋，口輪筋，頬筋，咬筋などについて，それぞれ静的および機能時の双方の状態を確認し，正常化を目指した筋力訓練を行います．

②患者さんに安静時の正常な位置（ポジション）を理解させ，習慣化する訓練を行います．最初は意識的にですが，最終的には無意識下でも正しい姿勢位が習慣化されることが目標です．

③摂食，咀嚼，嚥下などさまざまな機能時における正常化をはかります．実際にくだもの，スナックなどの食物や，ガムを用いる（ガム咀嚼訓練）こともあります．

④舌や口唇の状態，使い方によっては正しい発音や発語がされないのでチェックをします．

⑤口の筋肉は表情筋とつながっています．口腔周囲筋と表情筋の訓練を行うことによる審美的な変化は，患者さんのモチベーションにも寄与することがあります．

すべての訓練は，正しく行える「基礎訓練」と，それが無意識でもできるようにする「習慣化訓練」ですが，すべての症例で達成することはなかなか難しいことです．

以前テレビ番組で，「MFT は矯正装置を使わずに治す治療法」という誤ったとりあげ方をされたことがあり，MFT の専門医がたいへん困惑させられたと聞いたことがあります．MFT は奇跡や魔法の治療法ではありませんが，原因を放置して矯正装置で一時的に歯並びがある程度改善できたとしても，残った機能不正とともに再発の可能性があるということを知っていることは大切です．「歯並びコーディネーター」として患者さんから質問を受けた場合，その点については十分にお話ししていただきたいところです．

ＭＦＴの歯科臨床における応用（表 5）

治療の円滑化，安定

MFT により不正咬合の原因，誘因に対処することで，矯正歯科治療を円滑にすすめることができます．さらに重要なことは，正常な口腔周囲筋の状態とともに，それらとバランスのとれた位置に正常な歯列を獲得することができれ

表 5　歯科臨床における MFT の活用

- 矯正歯科治療の円滑化，自然的保定
- 舌小帯移動術，顎変形症の術前，術後のリハビリテーション
- 摂食嚥下機能療法，言語機能療法
- TMD，歯の病的移動（歯周病），舌痛症，ドライマウス，入れ歯（床義歯）の保持強化へのアプローチ
- 口腔衛生指導・保健指導
- スマイルトレーニング
- 心理的効果

ば，矯正歯科治療後も長期にわたり安定した正常咬合となります．

矯正装置で歯並びがよくなったとしても，その原因が残っていたり，機能を含めた全体のバランスがとれていないと，不正咬合は再発します．MFT により口腔周囲筋のすべての機能と歯列のバランスをはかることができれば，歯並びがきれいになった後も，その状態を長く保つ可能性は高いといえるでしょう．

最近はさらに口腔周囲筋のバランスや呼吸などの口腔機能にも注目して，それらと調和がとれ，生理的で安定が望める位置に歯列を並べることに重きを置いた矯正歯科治療が話題になっています．

また，口腔周囲筋のバランスを整える MFT は，矯正歯科治療以外の歯科臨床においても応用されるようになってきました．

術前，術後のリハビリ

一例として，組織の器質的問題である舌小帯短縮症の術前，術後には MFT が必須です．舌の下にあるひも状の舌小帯の位置が悪い，異常に短い，または太い人に関しては，舌小帯の伸展手術をすることがあります．これをいきなり切ってそのままにしておくと，傷口の瘢痕化によって組織がさらに硬くなり，舌運動の可動域が改善しないことがあります．そのため，手術に先立ち舌小帯を伸ばす訓練，舌を動かす癖をつけてから手術を行います．術後も瘢痕を防ぐためにすぐに訓練を続けると，予後が良好であることがわかっています．

また，顎変形症で手術をした場合，いうまでもなく術前，術後で顎の位置が大きく変化します．そのため，この突然の変化に筋肉がついていけるかという問題もあります．したがって，顎変形症などの手術において後戻りを防ぐためにも，術前，術後に口腔周囲筋のトレーニングを行っておくことは，結果として，術後の経過にもよい影響を及ぼすことになると考えられます．

さらに，中枢性疾患，舌や顎などの口腔腫瘍の術後リハビリテーションにも MFT は応用されています．要介護高齢者に高頻度で発症する肺炎については摂食嚥下障害のみならず，睡眠時の誤嚥などが大きな問題となって口腔ケアの必要性が注目されています．この摂食嚥下機能療法には MFT で培った訓練が応用されています．また，言語障害も舌と口の筋肉に関係しますので，その治療への MFT の応用がなされています．

顎関節症，歯周病などとも口腔機能異常は関連し，MFT が活用できます．

たとえば，歯周病で歯がぐらぐらとなった状態で，なおかつ先述したような舌癖があったらどうでしょうか．異常な舌の動きによる力が歯に作用すると，「外傷性口腔習癖」となり得ることが危惧されます．また，舌痛症やドライマウスとの関連も考えられます．こうした口腔習癖があったり，筋肉のバランスが悪かったりすることで入れ歯（床義歯）が安定しないときにも，MFT によるアプローチが必要になると思われます．

口腔衛生指導・保健指導

このほか，口腔衛生指導や保健指導などへの応用もあります．

ブラッシング指導時において，臼歯まで歯ブラシがうまく届かない患者さんがいます．頬部の筋肉が硬いと考えられる場合には，口輪筋や頬筋を内側から指で軽くマッサージしたり，膨らまし訓練を行って軟らかくして清掃器具が奥まで動きやすいようにします（図 12）．

審美，心理面への効果

図 13 は矯正歯科治療をした後の患者さんです．歯列や咬合には問題はないのですが，笑顔のつくり方（スマイルトレーニング）の指導の要望がありました．トレーニングの結果，矯正歯科治療直後に比べて口角が上がっていることがわかります．

歯並びやかみ合わせだけではなく，口元や表情にも自信をもってもらえることから心理面の効果も期待できます．

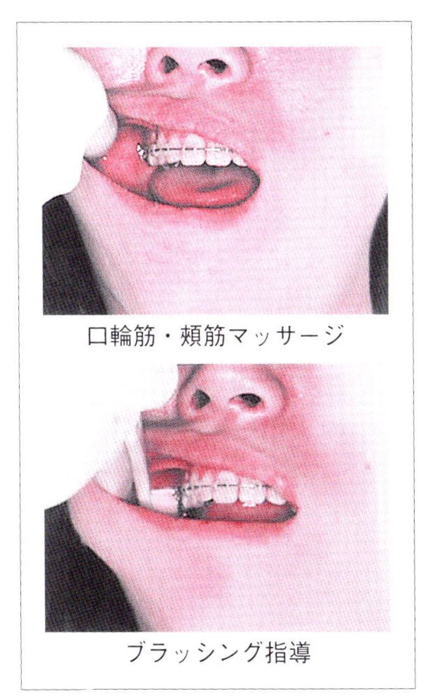

図 12　口腔衛生指導・保健指導における MFT の応用

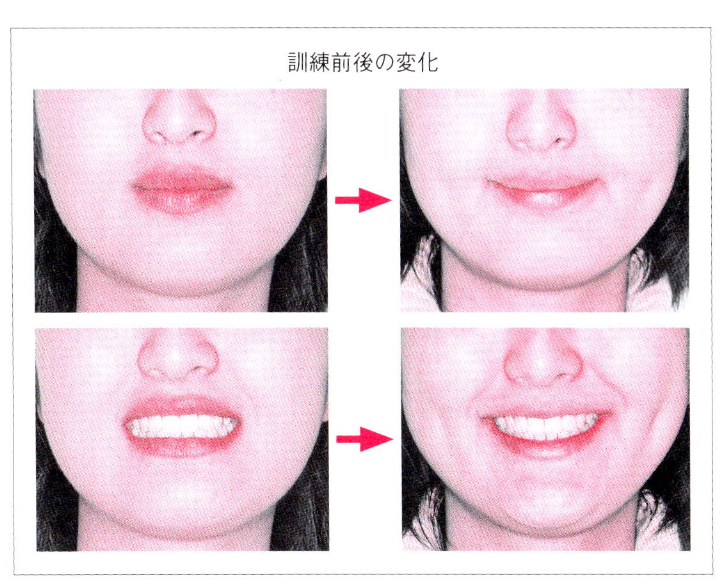

図 13　スマイルトレーニング

このように，MFTの知識は，矯正歯科治療においてだけではなく，さまざまな場面において応用されるようになっています．

column 歯ぎしり（ブラキシズム）

「就寝時，歯ぎしりで目が覚めた」「他人の歯ぎしりで眠れない」などの「歯ぎしり」は，睡眠時ブラキシズムに分類されます．食事のときの下顎運動による，必要な口腔機能としての上下の歯の接触とは違い，非機能的に上下の歯が接触をしてしまう状態をいい，咬合性外傷となっている場合には対処が必要な場合があります．

■ 歯ぎしり（ブラキシズム）の種類（図）

・グラインディング：下顎の側方運動による，いわゆる「歯ぎしり」．ギシギシ音．

・タッピング：下顎の素早い上下運動によるもの．カチカチ音．

・クレンチング：一定の下顎位で行うかみしめ，くいしばり，無音．

■ 歯ぎしり（ブラキシズム）の分類

・睡眠時ブラキシズム：中枢性の問題，睡眠関連疾患ともされ，この場合には歯科では病因への治療はできませんが，対処療法として歯ぎしりによるエナメルクラックなどを予防するためナイトガードやスプリントなどを処方する場合も少なくありません．

・覚醒時ブラキシズム（日中クレンチング）：上下歯列接触癖（TCH；Tooth Contacting Habit）ともいいます．「歯を食いしばって頑張れ」とは違い，日中無意識に食いしばりを頻発させている，恒常的に安静時空隙がなく上下の歯がかみ合っているなど，後天的な習癖と考えられています．

■ 矯正歯科臨床における患者指導

矯正歯科臨床における影響として，装置のレジンなどの摩耗や破折，マウスピース型装置の破損，咬頭相当部のファセットや穿孔が認められることがあり，逆にこれらから歯ぎしりの疑いを見つけることがあります．患者さんには，矯正歯科治療上の意図がなければ，摂食時や嚥下時以外は積極的に上下の歯をかみ合わせないでリラックスする習慣づけが望ましいことを理解させることが必要です．

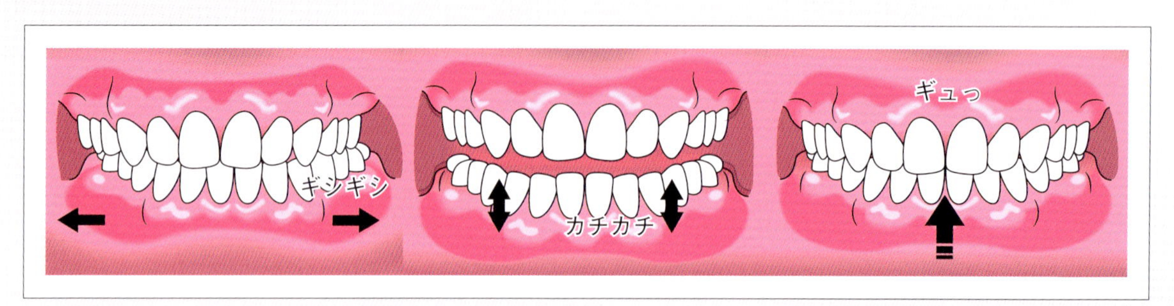

図　歯ぎしり（ブラキシズム）の種類（左から，グラインディング，タッピング，クレンチング）

おわりに

矯正歯科治療では，きれいな歯並びと正しいかみ合わせを目指し，不正咬合である歯を移動し，時には上下の顎の関係を改善します．きれいな歯並びと正しいかみ合わせを得ることによって，十分な栄養を食事から摂取できるようになります．消化器官としての口腔機能のみならず，そこから関係するさまざまな機能を回復させることは，審美面や心理面にも影響を与えますので，矯正歯科治療では口腔周囲筋を含めた顎顔面軟組織の形態を診断対象として改善目標としています．

「歯並びコーディネーター」は，口腔習癖が不正咬合の原因のみならず，心身全体のバランスを乱す要因ともなり得ることを知識として習得する必要があります．

口腔習癖の治療にあたっては，前述のように成長期の子どもにおいては情緒性などとも関連があるため，患児一人ひとりについて本人のみならず，その保護者，家族に対する日常生活の指導にも及ぶことがあります．指導は専門的な知識と実施の能力，経験を積んだ歯科医師および歯科衛生士が行い，医師，言語聴覚士，臨床心理士などとの医療連携のもとに行われるべきと考えます．

【参考文献】

1）Proffit, W.R.：プロフィトの現代歯科矯正学．クインテッセンス出版，1989.
2）Zickefoose, W.E.：Techniques of oral-myofunctional therapy. California. 1989.
3）大野粛英，山口秀晴，嘉ノ海龍三：指しゃぶり─基礎から指導の実際．わかば出版，2005.
4）山口秀晴，大野粛英：MFT 入門─初歩から学ぶ口腔筋機能療法．わかば出版，2007.
5）道　健一，黒澤崇四監修，道脇幸博，稲川利光編集：摂食機能療法マニュアル．医歯薬出版，2002.
6）石野善男：Bury The Dogma（2007 Damon Forum）．歯界展望，110：122-123，2007.
7）石野善男，石野由美子：指しゃぶりによる開咬の筋機能療法．デンタルダイヤモンド，29：99-100，2004.
8）石野由美子，石野善男：幅広い MFT の応用．デンタルハイジーン，10：944-947，2004.
9）石野由美子：口腔リハビリテーションとしての MFT とフェイスニングの役割．日成矯誌，13(2)：124-135，2006.
10）石野由美子，石野善男ほか：表情とコミュニケーション．形態的評価　舌．機能的評価　舌運動の評価．機能的矯正療法入門─臨床的意義と新しい視点─．氷室利彦編著，東京臨床出版，22-24，73-75，81-84，2017.
11）石野善男ほか：成長期の開咬症への口腔筋機能療法（MFT）．ザ・クインテッセンス，別冊／臨床家のための矯正 YEAR BOOK 2017 成長期の開咬を考える，36-43，2017.
12）一般社団法人日本顎関節学会編：新編顎関節症 改訂版．永末書店，2018.
13）石野由美子，石野善男：Q06 MFT にはアンチエイジング効果もありますか？　ライフステージに合わせた口腔機能への対応. 大野粛英ほか編著, 医歯薬出版, 132-134, 2018.
14）石野善男，石野由美子：舌突出を伴う不正咬合，開咬症例への MFT．もっと知りたい MFT　口腔筋機能療法の知識をぐっと深めるトピックス．大野粛英ほか編，デンタルダイヤモンド社，74-81，2023.

第4章　矯正歯科治療の開始時期

椿　丈二

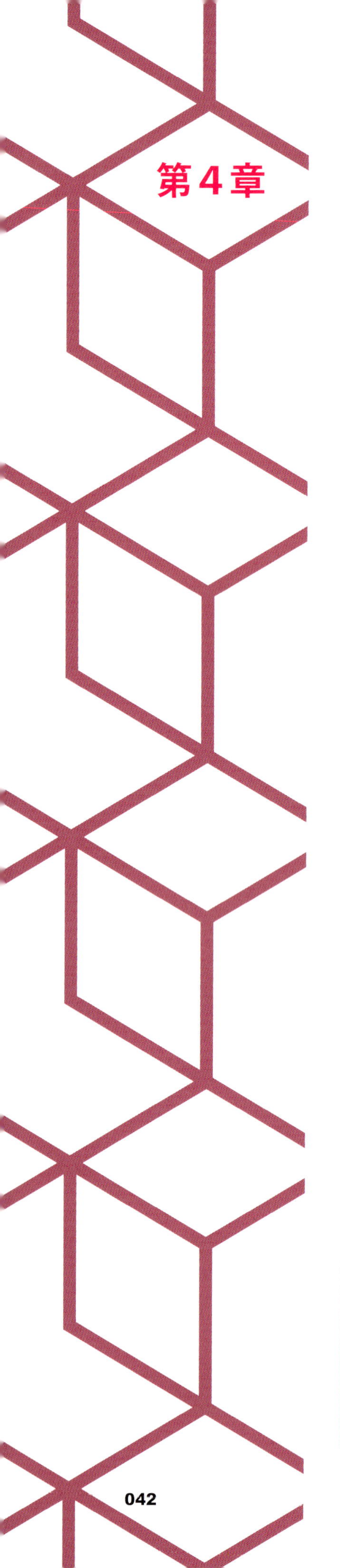

第4章 矯正歯科治療の開始時期

はじめに

矯正歯科治療の開始時期（タイミング）を決定するにはさまざまな要因が関連し，矯正歯科治療を受ける患者さんの環境要因と，個体差などによる個別要因が存在します（表1）．開始時期により方法や治療期間に差が出てきます．

口の中の状態は一人ひとり違うため，一概に「開始は何歳から」と断定することはできません．基本的には矯正歯科治療は「いつからでも」始められます．つまり，矯正歯科治療の開始時期は個々の症例によって異なり，また不正咬合の様態が多種多様で類型化することが困難であり，さまざまな要因によって決定されるため，ひとつの答えがあるものではない，ということを理解する必要があります．

本章では，矯正歯科治療の開始時期による治療法や考え方，さらに治療開始に当たり重要な点などを説明していきます．

矯正歯科治療の種類と時期

矯正歯科治療の種類はその目的により，①予防矯正，②抑制矯正，③限局矯正，④本格矯正の4つに分類されます（表2）．

医療面接

矯正歯科治療では，歯科医師と歯科衛生士らによるチームアプローチにより「ナラエビ」医療を活かした医療面接を行うとより効果的となる．「医療面接」を行うことで患者さんの内面をくみ取り，「インフォームドコンセント」へとつなげることが近年の医療では大切とされている（図1）．

表1　矯正歯科治療の開始時期に関係する要因

環境要因	社会環境（地域性，景気） 家庭環境（家族の協力，転居） 個人環境（本人の理解，部活動など）
個別要因	全身状態（成長発育，健康状態） 年齢（個年齢，歯牙年齢） 性別（成長スパート） 口腔状態（むし歯，歯周病など） 口腔関連組織（鼻腔，扁桃腺など）

表 2　矯正歯科治療の種類

予防矯正	小児期から将来の不正咬合の発生を予測し，それを予防するための治療
抑制矯正	成長発育の時期に不正咬合の原因または誘因を発見し，その除去によって不正咬合の改善を望める場合に行われる治療
限局矯正	混合歯列期における成長発育の過程で，形態的，機能的改善によりその後の永久歯列咬合の育成に役立つことを目的とした治療
本格矯正	成人から行われる，顎口腔機能および審美性を回復させる治療後のマルチブラケット装置による治療

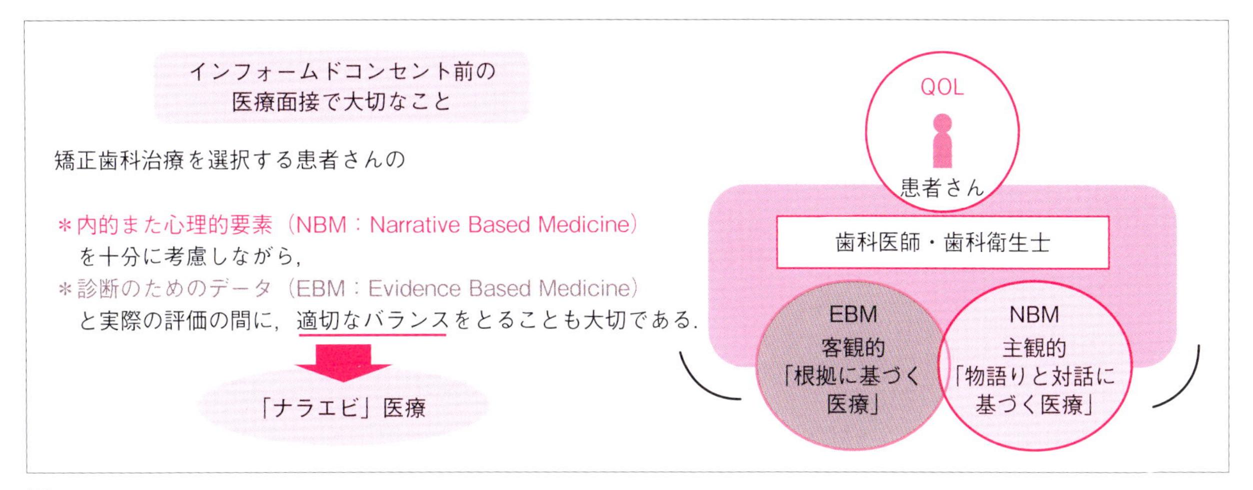

図 1

インフォームドコンセント

臨床の場においては歯列と咬合の不正の状態を個々の症例において詳細に検討し，患者さんへのインフォームドコンセントによって治療方法を決定することになります．

インフォームドコンセントという言葉は「説明と同意」という言葉に訳され，広く一般にも普及している概念です．これは治療提供者側が一方的に治療を押しつけるのではなく，最終的には患者さんが治療方法を選択する「インフォームドチョイス」でもあります．このため，治療を受ける側においては，治療を選択したということに対して義務も生じていることを理解しておいていただきたいと思います．

基本的には早い時期に診察し，相談を受けてもらうことが望ましいのですが，近年は成人矯正のニーズも高く，年齢に関係なく矯正歯科治療が行われています．

Notes

インフォームドコンセント

患者さんとの最終同意について，口頭での説明と同時にその内容を文書で明示し確認できるようにする必要がある．

各歯列期の不正咬合と治療の種類

乳歯列期

乳歯列期の矯正歯科治療では予防矯正，抑制矯正となり，治療の対象は，反対咬合，上顎前突，交叉咬合，開咬，過蓋咬合になります（表3）.

混合歯列期

混合歯列期における不正咬合は多種多様で，ほとんどすべての咬合異常を含みます．歯列と顎が発育途上にあるため，異常が悪化しないように，発見された時点でその改善をはかることが原則です．また，成長発育が関与する患者さんでは，成長の様相を慎重に観察，あるいは成長が完了するのを見届けてからマルチブラケット装置による矯正歯科治療を行う場合もあります．つまり，混合歯列期においての不正咬合はきわめて多様性に富んでいるため，診断も複雑となり，治療開始時期も一様ではありません.

この混合歯列期における矯正歯科治療は成長に応じて前期と後期に分けられ，治療方針が異なってきます（表4）.

永久歯列期

永久歯列期では，一般的にすべての不正咬合が治療の対象となり，患者さんの矯正歯科治療を希望するときが治療開始時期になることが多くなります．初めから永久歯列での本格矯正を開始する場合や，混合歯列期のⅠ期治療から継続してⅡ期治療へ進む場合もあります．また，下顎前突では成長の様相を観察

表3　乳歯列期における治療と装置の種類

症　例	装　置
反対咬合	チンキャップ，アクチバトール
上顎前突	アクチバトール，咬合斜面板
交叉咬合	アクチバトール，クワドヘリックス，Coffin 拡大装置
開咬	タングクリブ，指サック
過蓋咬合	アクチバトール，咬合斜面板

表4　混合歯列期の前後期での留意点

前期	正中離開，機能的反対咬合，骨格性下顎前突，機能性上顎前突，骨格性上顎前突，前歯部叢生，開咬，交叉咬合などほとんどすべての不正咬合が対象になる.
後期	側方歯群の交換期で，永久歯列への過渡期であるため，永久歯列の完成を目標とする本格矯正という観点で診断し，治療方針を決定する.

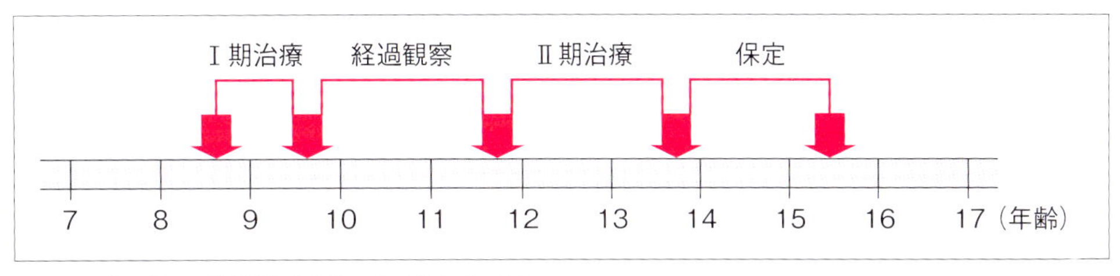

図 2　成長期の典型的な矯正歯科治療パターン

（与五沢文夫：Edgewise System, VOL 1, プラクシスアート．クインテッセンス出版，2001．より）

し，成長が完了してから本格矯正を開始する場合や，外科的矯正では顎顔面の成長が終了する時期を考慮に入れて，術前の矯正歯科治療を開始する場合もあります．

成長期における矯正歯科治療の時期を図 2 に示します．

① Ⅰ期治療：永久歯の前歯が萌出完了した時期から約 1 年～ 1 年半の期間の矯正歯科治療
② 経過観察：側方歯群の永久歯への生えかわりと第二大臼歯萌出の様子をみていく
③ Ⅱ期治療：すべてが永久歯に生えかわった後に行う，約 2 年間の全体の矯正歯科治療
④ 保定：全体の矯正歯科治療後に約 1 年半～ 2 年間，簡単な装置により歯列と咬合を安定させる

矯正歯科治療における成長発育

成長発育には，平均成長と個成長という 2 つの概念があり，この平均成長という概念を参考にして個成長を注意深く観察していく必要があります．個成長は個人の成長過程であり，とてもバリエーションに富んでいるため，他人の成長過程とは別のものになります．

また，多様性に富んでいるため，治療に使用する器械や装置も非常にさまざまです．表 5 に代表的な不正咬合と矯正装置の組み合わせ例を示します．

混合歯列期における矯正歯科治療の特徴は，成長の利用が可能であることが最大のメリットと考えられます．しかし，それは何らかの仮定に基づいた「予測の域」であることを常に念頭に置かなければなりません．成長予測は非常に困難で，均一的なものではありません．つまり，「このように変わるだろう，これからこんな成長をするだろう」という術者の期待が問題になることがあります．期待が外れることはよくあることであり，その治療方針に期待が込められていないかどうか，慎重に見極めなければなりません．

期待（希望）は（治療）計画ではなく，治療戦略でもないということを認識しておく必要があります．

成長発育の診断と予測

平均成長と個成長を比較検討することで，現在の成長の過程や今後の予測へ

表 5　混合歯列期における治療と装置の種類

症　例	装　置
上顎前突	ヘッドギア，アクチバトール，バイオネーター
反対咬合・下顎前突	チンキャップ，アクチバトール
前歯部叢生	2 × 4 アプライアンス，床矯正装置
開咬	タングクリブ，指サック，筋機能療法，ハイプルチンキャップ
臼歯部交叉咬合	急速拡大装置，クワドヘリックス，Coffin 拡大装置
正中離開	2 × 4 アプライアンス
過蓋咬合	アクチバトール，マルチブラケット装置
習癖による不正咬合	筋機能療法，器械的習癖除去装置

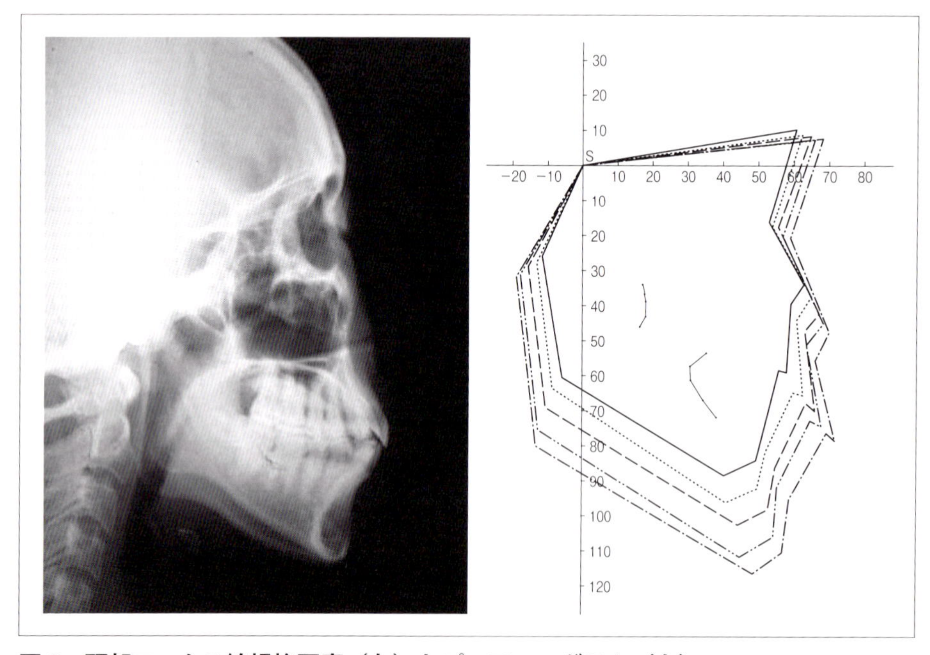

図 3　頭部エックス線規格写真（左）とプロフィログラム（右）

の参考とすることが可能です．平均成長や遺伝情報を有効に活用することは重要な方法になります．

効率のよい診療を行うために頭部エックス線規格写真を経年的に撮影し，プロフィログラムを記録することは意義があります（図 3）．

手根骨のエックス線写真

骨年齢は身長の伸びと密接な関連をもっており，身体的成熟の指標としてもっとも適切な生理的年齢です．これは手の関節を含めた手根骨エックス線写真を撮影することで知ることができ，出生から成人に至る長期にわたって，各骨核の成熟度を観察できます．たとえば，母指尺側種子骨（図 4）は，身長の

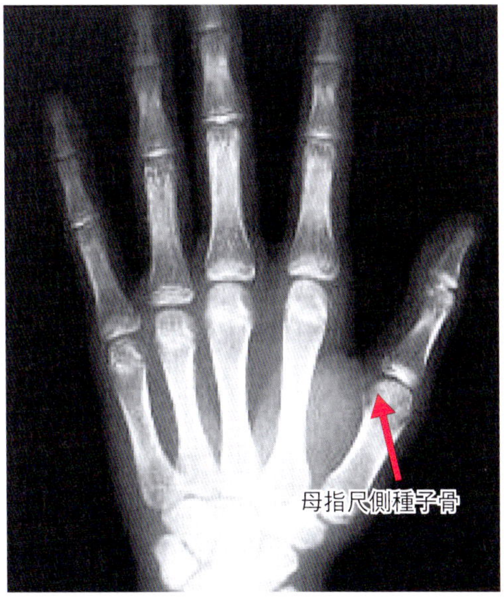

母指尺側種子骨

図4　母指尺側種子骨

最大増加期と同時期あるいはその1，2年前に出現することから，思春期性成長スパートを予測する指標として利用できます．種子骨の出現後1〜2年の間に初潮があるといわれています．

成人の矯正歯科治療

Notes

矯正歯科治療における成人とは，成長期の終了した症例を指す．

矯正歯科治療は小児のみを対象とした治療ではありません．成長が完了した成人も矯正歯科治療はできます．きれいな歯並びと正しいかみ合わせをつくりだし，歯の機能を向上させるとともに，フェイスラインを整えることにより，健康的で美しい口元となるなど審美的効果も期待できます．そのため，近年は，若い女性を中心に高齢者に至るまで成人矯正が増加しており，歯周病やかみ合わせの治療のために矯正歯科治療を開始することも少なくありません．

その背景には技術の向上に加え，装着するマルチブラケット装置に白く透明な装置を選択できたり，歯の舌側への装置を選択できたりと，目立たずにより快適に治療でき，社会的制約を受けにくくなったことも要因であると思われます（第6章参照）．

成人の矯正歯科治療と歯周病

成人の矯正歯科治療では，小児の矯正歯科治療とは異なる問題点や知っておくべきことがあります．成人の矯正歯科治療の場合，歯周病がほとんどの方にあることが大きな問題です．

日本人の歯周病への罹患率を年齢別でみると，歯ぐきに炎症がみられるピークは55〜64歳で，実に84.6%に及びます（図5）．高齢者の数値が減少しているのは，すでに歯周病などで失った歯の数が多いためです．また，若年層でも5〜14歳の33.4%，15〜24歳の70.3%の歯ぐきに炎症がみられることは注意すべきことでもあります．

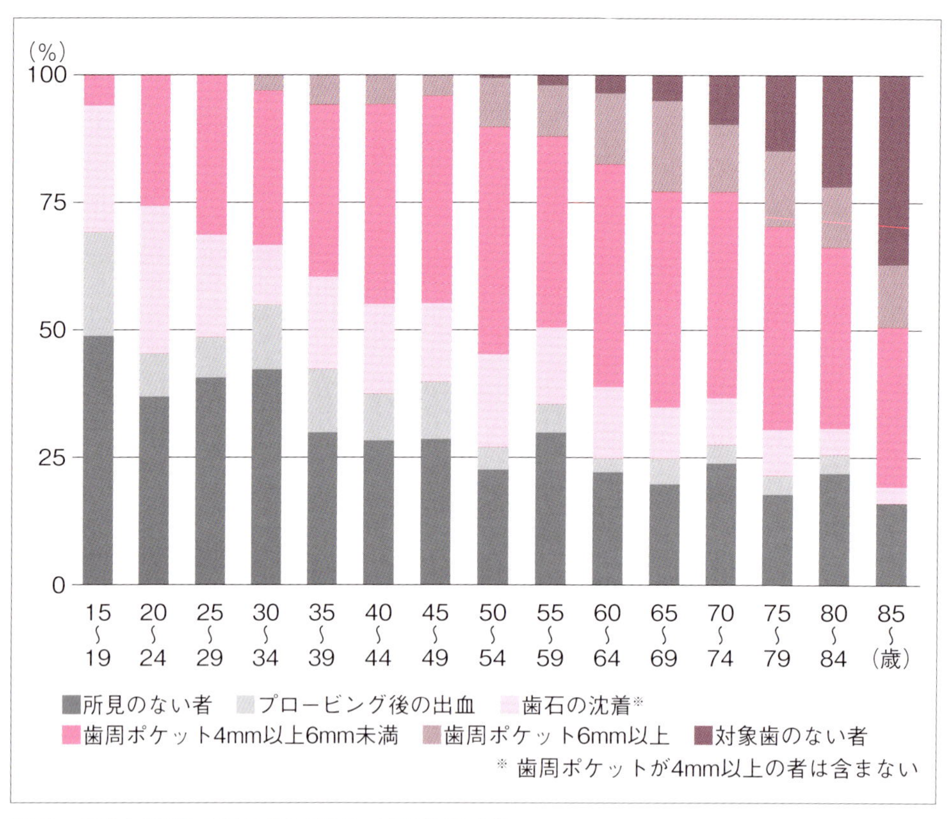

図 5　歯肉に所見のある者の割合（年齢階級別）

（平成 28 年歯科疾患実態調査）

歯周病は決して中高年層だけの病気ではありません．若いうちからの予防が大切であり，矯正歯科治療を開始する場合には口腔内環境の管理に対する注意が特に必要になります．

以前は歯周病の矯正歯科治療は，症状を悪化させる恐れがあるとして危険視されていました．しかしながら，近年の研究と臨床例の蓄積により，矯正歯科治療前に歯周組織の細菌性の炎症を抑制してから，歯を周囲の骨の適正な位置に移動することが大切であるとわかってきました．

このような原則を守ることで，通常の歯科治療と同様に矯正歯科治療を進めることができ，歯周組織は治療前より改善することも少なくありません．

歯周病を有する成人が矯正歯科治療を開始する場合には，その進行度により矯正歯科治療の対応が異なります．一般的には，歯周病があると歯の移動の際に歯肉退縮が発生しやすいため，大きな歯の移動は避け，わずかな移動で最大の効果が出るように治療計画を立案します．最近は，矯正材料の進化により，弱い力で矯正歯科治療を行えるようになってきたため，成人の矯正歯科治療の適応範囲も広がってきました．

成人の矯正歯科治療の開始時期

成人の場合には口腔内環境が健康であることが第一条件になります．歯肉と歯を支える骨が健康であれば，矯正歯科治療を始めるのに年齢は関係ありません．加齢とともに歯並びに影響が出始める 40 ～ 50 歳代の人でも，口腔内の

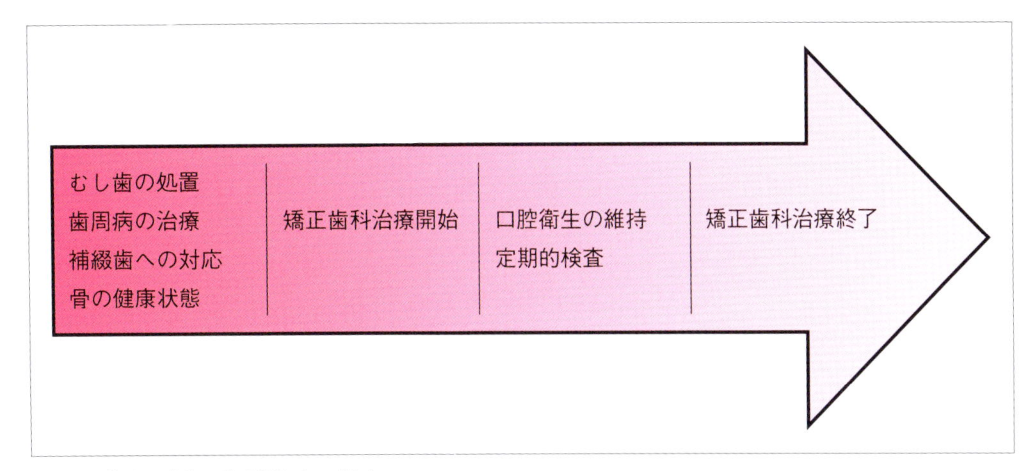

図 6　成人の矯正歯科治療の流れ

健康維持のために矯正歯科治療を受けることはできるのです．

その場合，矯正歯科治療を受ける前に，むし歯の処置や歯周病の治療が前準備として必要になることもあります（図 6）．口腔内環境を整えて初めて，治療を開始することとなります．成人の矯正歯科治療の開始時期に個人差が大きいのはこのためです．

おわりに

冒頭に述べたように，矯正歯科治療の開始時期を一概に示すのは難しいことです．ここで重要なことは，患者さんとの「インフォームドコンセント」で治療の開始が決定されるということなのです．患者さんが治療の内容をよく理解し，よく相談したうえで決めるというのがもっとも重要なことです．

【参考文献】

1）与五沢文夫：Edgewise System, Vol 1. プラクシスアート．クインテッセンス出版，2001.
2）神奈川歯科大学附属横浜クリニック診療案内.

第5章　不正咬合はなぜよくないの？

矯正歯科治療の役割

武内　豊

第5章

不正咬合はなぜよくないの？ 矯正歯科治療の役割

はじめに

歯並びやかみ合わせが悪いと，歯磨きがしづらく，歯および歯肉を清潔に，そして健康に保つことが難しくなります．また，咀嚼，発音といった口の機能を十分に発揮できないばかりでなく，顔貌にも好ましくない影響を与えます．矯正歯科治療は，口の健康や正しい機能を回復させるほか，調和のとれた美しい顔貌にすることで自信に溢れた笑顔をもたらし，全身の健康とより豊かな人生の一助となります．

歯，口の役割

矯正歯科治療の意義，目的を考える場合，まず歯あるいは口の役割を理解していなければなりません．表1におもな歯，口の役割を列記しました．

咀嚼，嚥下，発音

まず，咀嚼（食べ物をかみ砕いて唾液と混ぜ合わせ，やわらかく飲み込みやすい食塊にすること），そして嚥下（口の中の食塊を飲みこみ，胃に送ること）というもっとも重要な役割があります．さらに歯，口腔は構音および発音にとって必須の構成要素です．

食感の感知

味以外のおいしさの要素のひとつに食感があります．歯，舌は「歯ごたえ」「歯ざわり」を感じるうえでも重要な役割を果たしています．歯があってこそ，「歯ごたえのある食べもの」という言い方ができるわけで，歯がなければ，「歯

表1　歯，口の役割

- 咀嚼，嚥下，発音
- 食感の感知（歯ごたえ，歯ざわり）
- 刺激の伝達（脳の活性化，安心感）
- 口の中の保護
- 顔の形成
- 道具，武器
- 法歯学・考古学での活用

ごたえ」「歯ざわり」といった感覚は得られません．したがって，歯は食感を楽しむうえで大変重要になります．

刺激の伝達（脳の活性化，安心感）

歯根膜への刺激は脳の中枢に送られ，感覚，運動，記憶，思考などをつかさどるさまざまな分野に伝えられます．また，かむことは脳の血流量を増やし，脳の活動を活発にします．「ガムをかむと眠気がとれる」のは，頭の働きを刺激するという役割の一例です．自身の歯でかむことが認知機能の維持に有用であることも示唆されています．

さらに，気持ちがイライラしているときに爪をかじる人がいますが，これは爪をかじることで生じる歯根膜への刺激が三叉神経を通って脳の中枢に送られ，リラックスした気持ちになるのです．ほかにも，さまざまな愛情表現として歯が使われることもあります．

口の中の保護

口の中を守る役割もあります．歯は，歯を支える歯槽骨，上顎の骨，下顎の骨とともに硬組織を構成し，外力に対して歯列の内側にある舌や他の軟組織を保護しています．

顔の形成

歯は，顔の形にも影響します．これは後で詳しく説明しますが，歯並び，かみ合わせと顔貌には非常に密接な関連があり，不正咬合の状態はさまざまな形で顔貌に表出されます．このため，矯正歯科治療の大きな目的のひとつとして，顔貌の改善があげられているのです．

道具，武器

つぎは「道具，武器」としての役割です．たとえば，あまりおすすめできませんが，歯を使ってビールの栓を開けることもできるでしょう．あるいは，犬歯は「糸切り歯」と呼ばれているように，裁縫をするときに糸を上下の犬歯で切ることもできます．歯には栓抜きやはさみのようなさまざまな道具としての役割があるといえます．

「武器」というと違和感があるかもしれませんが，たとえば，喧嘩をするときに「人にかみつく」というような場合は，歯は「武器」として使われることになります．

法歯学・考古学での活用

最後に，法歯学・考古学の分野での役割があります．1985 年に御巣鷹山で日航機の墜落事故が起こりましたが，ご遺体の身元確認が非常に困難でした．このとき，歯や顎の骨が，個人識別に非常に役立ったわけです．歯や顎の骨は化学的にも物理的にも非常に安定しているため，法歯学や考古学において有用なものとされています．

不正咬合がもたらす障害と矯正歯科治療

歯，口の役割が何らかの原因で障害されることがあります．その原因のひとつに不正咬合（歯並び，かみ合わせの異常）があります（表 2）．

不正咬合はむし歯，歯周病そして外傷および歯根吸収の「誘因」になるといわれていますが，これは「直接的な原因ではない」という意味です．不正咬合はむし歯や歯周病になりやすい環境を助長するといえます．

むし歯の発生および歯周病の誘因

凸凹の激しい歯並び（叢生）では，歯磨きが非常にしにくいため，食物残渣が歯面に残り細菌が繁殖して歯垢になります．さらに進行するとカルシウム分が沈着して歯石になります．つまり，凸凹の強い歯並びは，歯垢の除去がうまくいかないためにむし歯になりやすく，また，歯石が沈着して，歯肉炎をはじめとする歯周病に罹患しやすくなります．

図 1 の左は矯正歯科治療前，右は矯正歯科治療後です．歯並びの凸凹（叢生）が改善され，歯磨きが非常にやりやすくなっています．この患者さんは，「毎日忙しくてなかなか歯磨きをする時間がない」ということでしたが，歯並びの改善によって短時間でより効率的に食物残渣の除去ができるようになりました．

外傷および歯根吸収の誘因

唇側あるいは頬側に突出している歯は，転倒やスポーツで顔面を強く打ったりすると，口唇や頬粘膜を傷つける原因となるばかりでなく，歯冠，歯根，あるいは歯槽骨の破折を招くことがあります．

図 2 の患者さんは，自転車で転倒して上顎左右中切歯を脱臼し，他院で固定してもらっていました．当院初診時の口腔内写真では上顎左右中切歯の前突が，エックス線写真では上顎左右中切歯の歯根吸収がみられました．その後も

表 2　不正咬合がもたらす障害

- むし歯の発生の誘因
- 歯周病の誘因
- 外傷および歯根吸収の誘因
- 顎関節への影響
- 咀嚼機能への影響
- 発語・発音機能への影響
- 呼吸機能への影響
- 筋機能への影響
- 骨の成長への影響
- 顔のかたち（顔貌）への影響
- 社会生活における不都合と心理的影響
- 全身の健康への影響

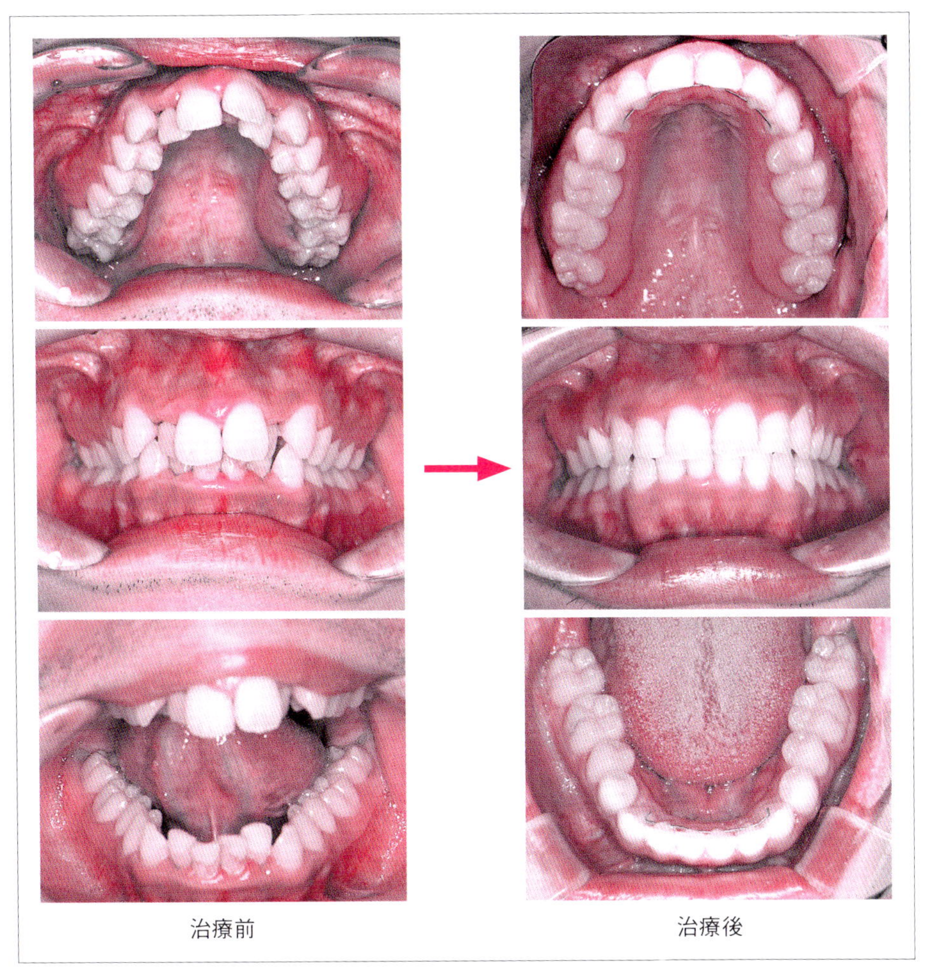

図 1　矯正歯科治療の前後

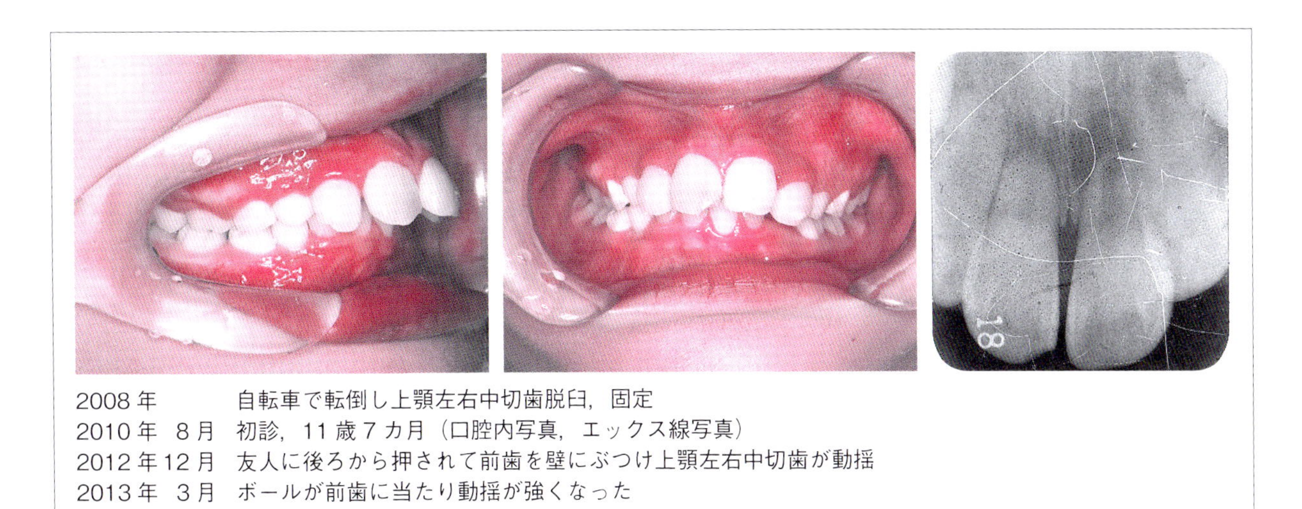

図 2　外傷および歯根吸収の誘因

友人に背中を押されて壁に前歯をぶつけたり，運動中にボールが前歯に当たってさらに歯の動揺が強まったりと反復的に損傷を受けました．

顎関節への影響

歯並び，かみ合わせが悪いと，閉口運動時に上下の歯の干渉によって下顎骨が偏位したり，円滑な側方への下顎運動が障害されて顎関節症が誘発されることがあります．顎関節症の三徴候は，①顎が痛む（顎関節痛，咀嚼筋痛），②口が開かない（開口障害），③顎を動かすと音がする（顎関節雑音）です．最近の研究で，顎関節症の寄与因子として行動要因である上下歯列接触癖（TCH）が注目されていますが，咬合要因である上下の歯のかみ合わせの異常による場合も少なくありません．

咀嚼機能への影響

歯は消化器系の臓器のひとつです．咀嚼とは口から入った食物をかみきり，砕き，すりつぶして胃や腸で消化，吸収するための最初の手助けをする行動であるといえます．犬歯で捕え，切歯でかみきり，臼歯で砕き，すりつぶすなどそれぞれの歯には役割があるわけですが，こうした歯が担う役割（行動）は力学的消化活動といわれ，その活動が効率的に行われると，唾液腺から分泌される消化酵素が担う化学的消化活動も効率的に行われることになります．

図 3 に示す上顎前突，反対咬合，交叉咬合，開咬，過蓋咬合，叢生などの

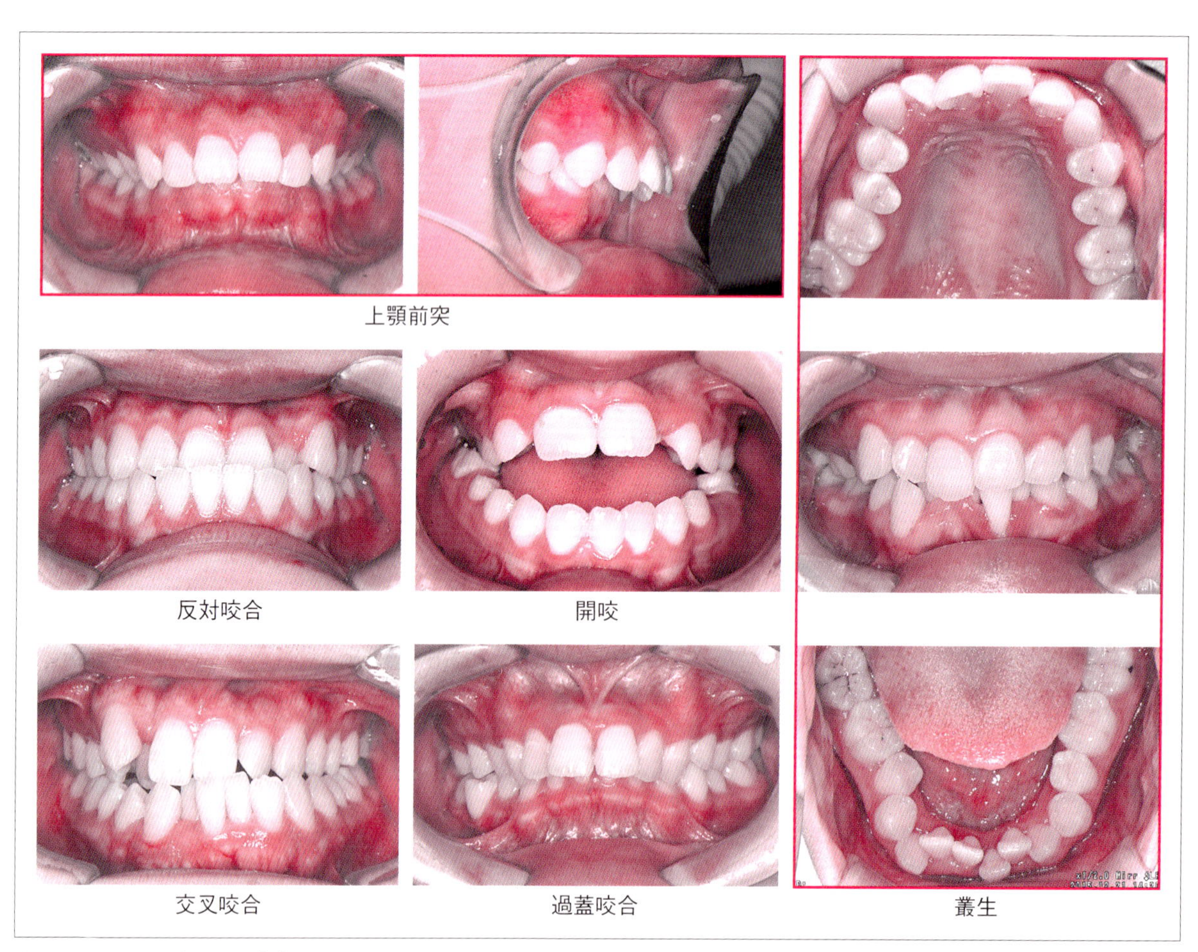

図 3　いろいろな不正咬合

不正咬合では，食物がうまくかめないということになります．

発語・発音機能への影響

歯並び，かみ合わせは，発語や発音においても大切な働きをしています（図4）．不正咬合は「二唇音」，「唇歯音」，「歯擦音」の発音にさまざまな影響を及ぼします．二唇音というのは，言い換えると両唇音，つまり，上唇と下唇の両方を使って出す音です．五十音でいうと「パピプペポ」「バビブベボ」「マミムメモ」という音です．唇歯音というのは，唇と歯を使って出す音で，アルファベットの「f」や「v」の音です．歯擦音というのは，「ス（s）」「シュ（sh）」「ズ（z）」のように上下の前歯をあわせて，そこに空気を送り込んで出す音で，「サシスセソ」「シャシュシェショ」「ザジズゼゾ」の音です．

たとえば，出っ歯の場合，上の前歯が下の前歯よりもかなり外に出ているため，唇が閉じられず，「パピプペポ」などの二唇音の発音がしにくくなります．逆に，受け口の場合は，下の前歯が上の前歯より外に出ているため唇歯音（f や v）や歯擦音（s や z）を出すのが困難になります．「サシスセソ」を受け口で発音すると，いわゆる舌足らずな，幼児のようなしゃべり方になります（リスピング）．

Notes

リスピング

舌を前歯で軽くかんで，あるいは前歯の間に軽く突き出して発音すること．受け口，開咬では「s」が「th」になり，舌足らずの不明瞭な発音となる．

開咬の場合も，「サシスセソ」などの歯擦音がうまく発音できません（リスピング）．意識的に上下の歯が離れた状態で発音してみるとわかりやすいと思います．発音しようとすると，舌を出さなければなりません．舌が前に出ることが開咬の原因でもあるのですが，開咬になると発音がうまくいかない，そこで発音を少しでもよくしようと補償的に舌を出す，という悪循環が生じます．つまり，開咬状態では，「サシスセソ」といえませんので，舌を差し込んで，「th」の音に変わった状態で何とか発音するわけです．

矯正歯科治療を行うと，出っ歯は唇がしっかり閉じるようになり，受け口は上顎の前歯が下顎の前歯を被う正しい関係になり，開咬は上下の前歯がきちんと閉じます（図5）．こうなるといろいろな発音障害は改善されます．

上顎前突（出っ歯）

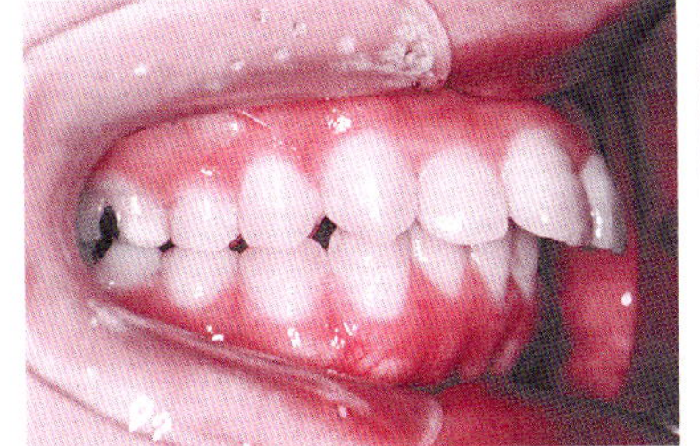

二唇音（p, b, m）が出しづらい

反対咬合（受け口）

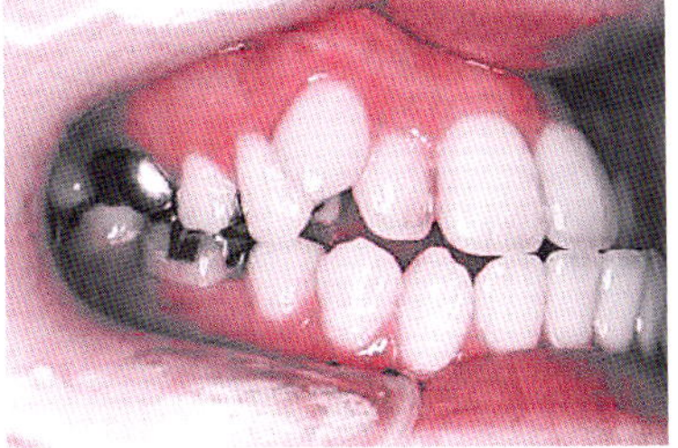

唇歯音（f, v）
歯擦音（s, sh, z）
が出しづらい

開咬

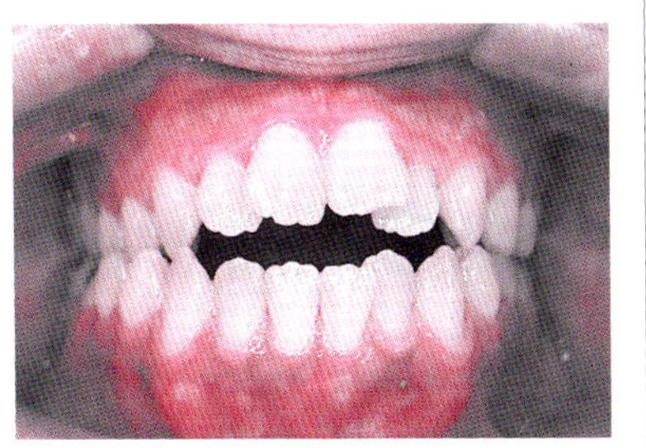

歯擦音（s,sh,z）が出しづらい

図4　発語・発音機能への影響

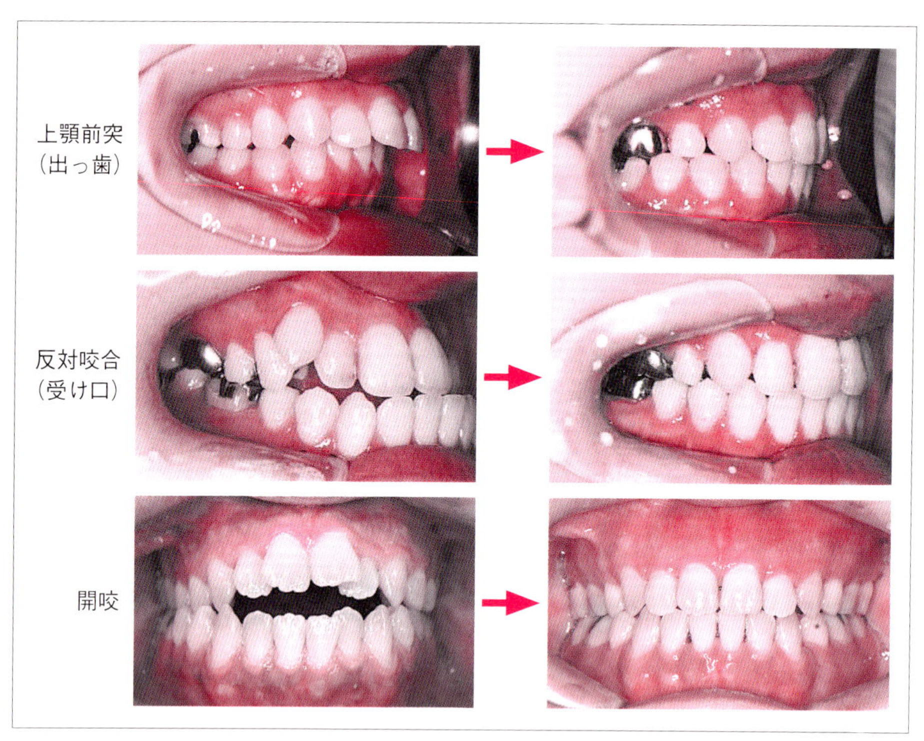

図 5　矯正歯科治療による発音障害の改善

呼吸機能への影響

鼻の疾患を有する場合，あるいは歯並びが悪く口唇の閉鎖が困難な人では，口呼吸が生じます．

鼻の役割は何でしょう．ひとつには鼻は空気を取り込む際にフィルターの役目を果たし，ごみを取ってくれます．冷たい空気が直接，気道や気管に入らないよう温度と湿度を高めてもくれます．エアコンや加湿器，空気清浄器のような働きといってよいでしょう．さらに重要なのは嗅覚です．鼻の奥の鼻粘膜嗅部には嗅細胞の受容体があり，嗅覚神経に達して臭いを感じるわけです．発音時の共鳴管としての働きもあります．

鼻は細菌感染の防波堤となり，免疫機構の一翼も担っているため，もし，口呼吸をするようになると，不正咬合のみならず，場合によると，気管や肺の疾患につながるなど全身の健康に対して悪影響を及ぼす可能性が生じます．

筋機能への影響

不正咬合は舌を含めた口腔周囲筋の機能に異常をもたらすことがあります．出っ歯では唇を閉じるのが難しいため，下顎の皮膚を上方に引き上げて唇を閉じようと顎に梅干しの種のような「ぶつぶつ」が表出します（図 6 左）．開咬でも嚥下時に舌が前歯の間から突出し，上下の唇は緊張し，同様の表出がみられます（幼児性嚥下パターン，図 6 右）．つまり，口腔周囲筋の機能異常は，歯の位置の異常が原因となって生じると考えられますが，逆にこれらの筋機能異常が不正咬合の原因となり，また，その不正を維持あるいは増悪している場

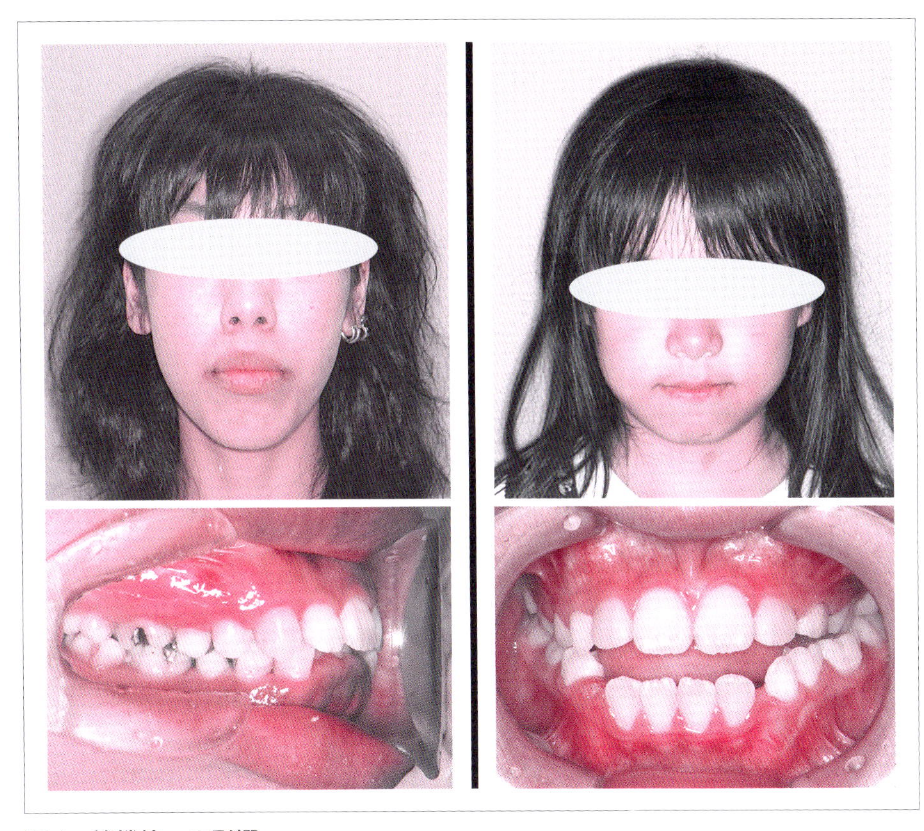

図 6　筋機能への影響
無理に口を閉じようとするため，顎に梅干しの種のような「ぶつぶつ」の表出がみられます．

合もあります．

骨の成長への影響

成長発育期に，上下の歯の対向接触関係に異常があってかみづらいために下顎骨を前後左右のいずれかの方向に偏位させて口を閉じるようになることがあります．そのような偏位が長期間続くと，上顎骨，下顎骨の成長に影響して異常な成長を誘導することがあります．また，反対咬合（受け口）では上顎の骨，あるいは上顎の前歯の歯槽部の成長が抑制されたり（図 7 左），前歯のかみ合わせの深い人では下顎の成長が抑制されたりすることがあります（図 7 右）．

顔のかたち（顔貌）への影響

図 8 左のような歯並び，かみ合わせから，どのような顔を想像しますか．図 8 上のような出っ歯では口元が非常に突出しており，唇が閉じにくく下顎の皮膚に梅干しの種のような「ぶつぶつ」がみられます．図 8 下のような受け口ではいわゆる「しゃくれ顔」が多いでしょう．

「唇歯輔車（しんしほしゃ）」といわれるように，唇と歯はお互いに非常に密接に関連しています．歯が出ていれば，唇も当然外側に出ますし，逆に歯が内側に入っていれば，唇も内側に引っ込んだ状態になります．

Notes
唇歯輔車（しんしほしゃ）
互いに助け合って成り立つ間柄，車の両輪．

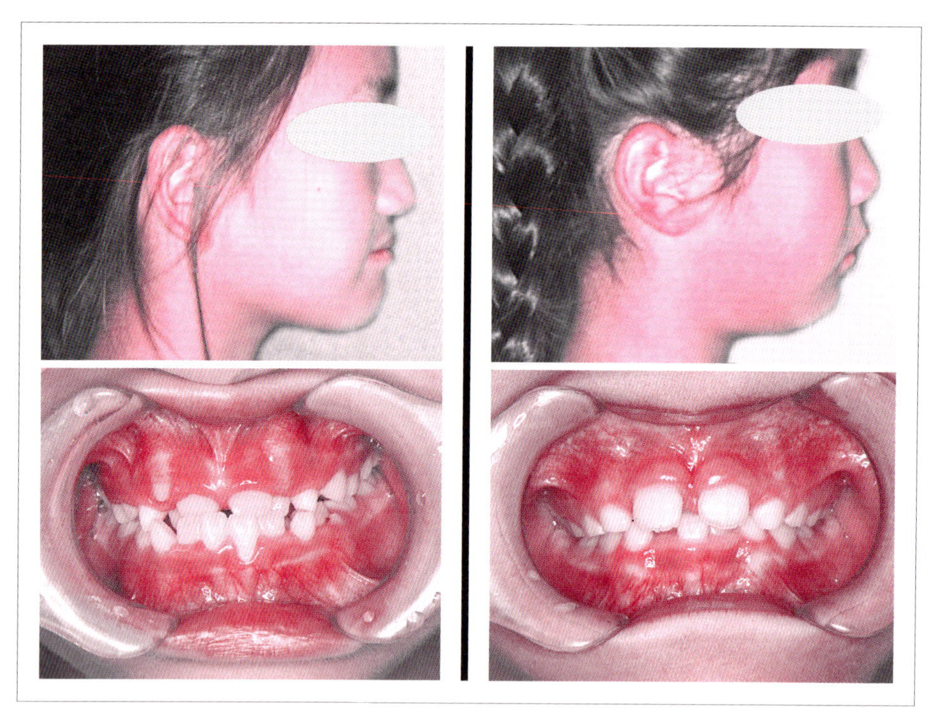

図 7　骨の成長への影響

上顎や下顎の成長が抑制されることがあります．

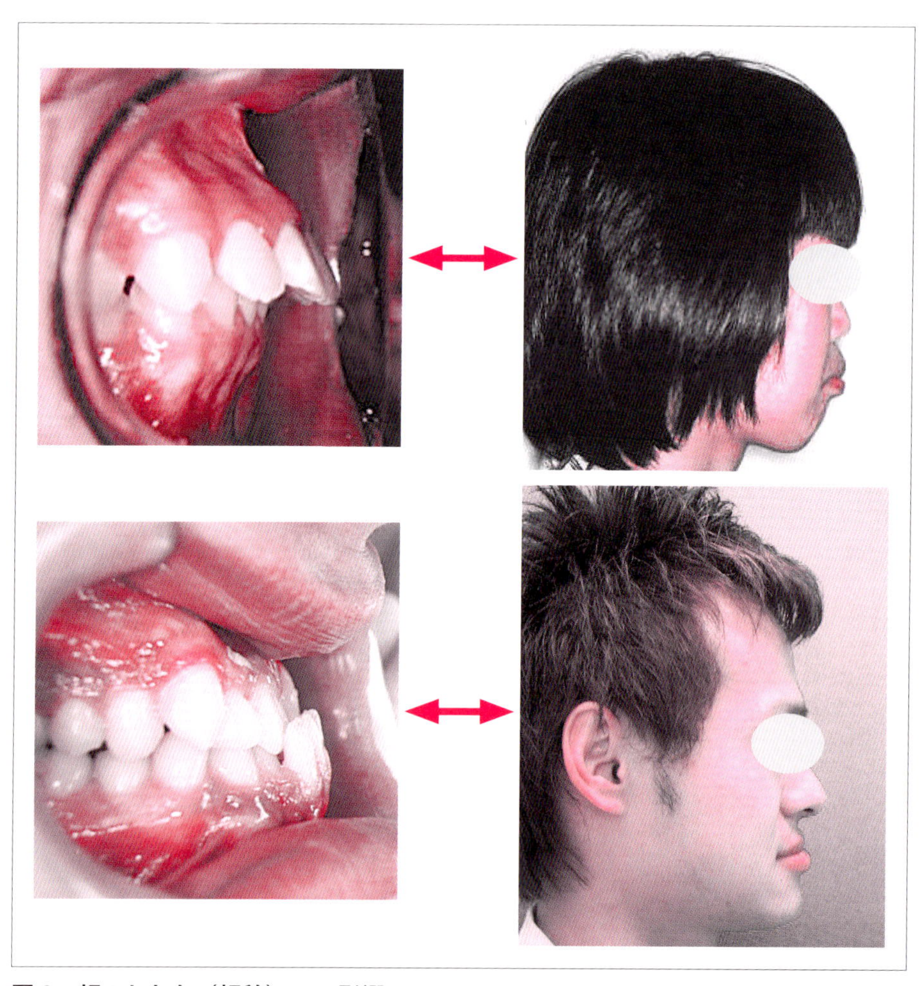

図 8　顔のかたち（顔貌）への影響

図9は，図8上の出っ歯の患者さんの矯正歯科治療前後の写真です．矯正歯科治療にあたり，第一小臼歯を4本抜歯しました．治療後は上顎の前歯がかなり舌側に入り，前歯の良好な関係が獲得されています．また，下顎の臼歯が前方に移動し，大臼歯の関係が改善されています．こうして不正咬合が改善されると顔貌にも変化が現れ，まさに唇歯輔車という関係が成り立っています．

2010年に日本矯正歯科医会が実施した歯並びと矯正歯科治療に関する意識調査の結果によると，①異性の魅力は「顔立ち」より「笑顔」である，②「素敵な笑顔」のポイントは歯並びである，③歯並びで第一印象が左右される，ことが明らかになりました[1]．さらに，歯並びが美しい人から受ける印象については，「清潔感がある」「健康的」「上品」「育ちがよい」「若くみえる」などが上位にあげられていました．笑ったときに上下の唇の間からむし歯で変色した，あるいは一部が欠けた前歯，凸凹な歯並び，牙のような八重歯，出っ歯，あるいは受け口が見えたとしたら（図10），あなたはどんな印象をもつでしょうか？　口の中が健康であること，そして，良好な歯並び，かみ合わせであることが好感のもてる魅力的な笑顔の条件と考えられます．

矯正歯科治療の大きな役割のひとつに，自信に溢れた笑顔をつくり出すことがあげられます（図11）．

不正咬合による心理的影響と社会生活における不都合

皆さんは自分のからだの容姿や能力（身体像）をどのように思っていますか？身体像とは，自分自身のからだに関するイメージで，自己のからだの容姿や能力についての感情的，価値的評価からつくられます．

患者さんのなかには，現在の歯並び，かみ合わせ，あるいは顔貌に対してネガティブな身体像をもち，その結果，劣等感，自信喪失などの心理的影響と社会的不都合を感じている人が少なくありません．矯正歯科治療は，審美性の改善によって心理的，社会的に満足できる身体像を形成する一助となります．

全身の健康への影響　（図12）

「口は全身の健康の源である」というタイトルがありますが[2]，けだし名言です．不正咬合のなかでもっとも頻度の高い叢生（乱杭歯＝歯並びの凸凹）は口腔清掃を困難にし，むし歯，歯周病の誘因になります．重篤な場合にはむし歯，歯周病が原因で歯の喪失に至ることがあります．宮崎らは，「8020」達成者の歯列・咬合状態を調査し，歯列・咬合状態と残存歯数に関連性が認められたと報告しています[3]．

残存歯が多いと，自分の歯でしっかり下顎骨を動かして咀嚼することができるので，咀嚼時の活発な脳への求心性刺激と血流が脳を活性化することから，残存歯数とさまざまな老化現象の間に関連性があること，また，高齢者の死因で多い誤嚥性肺炎も口腔ケアをしっかり行うことによってその発症を減少できることがわかっています[4]．

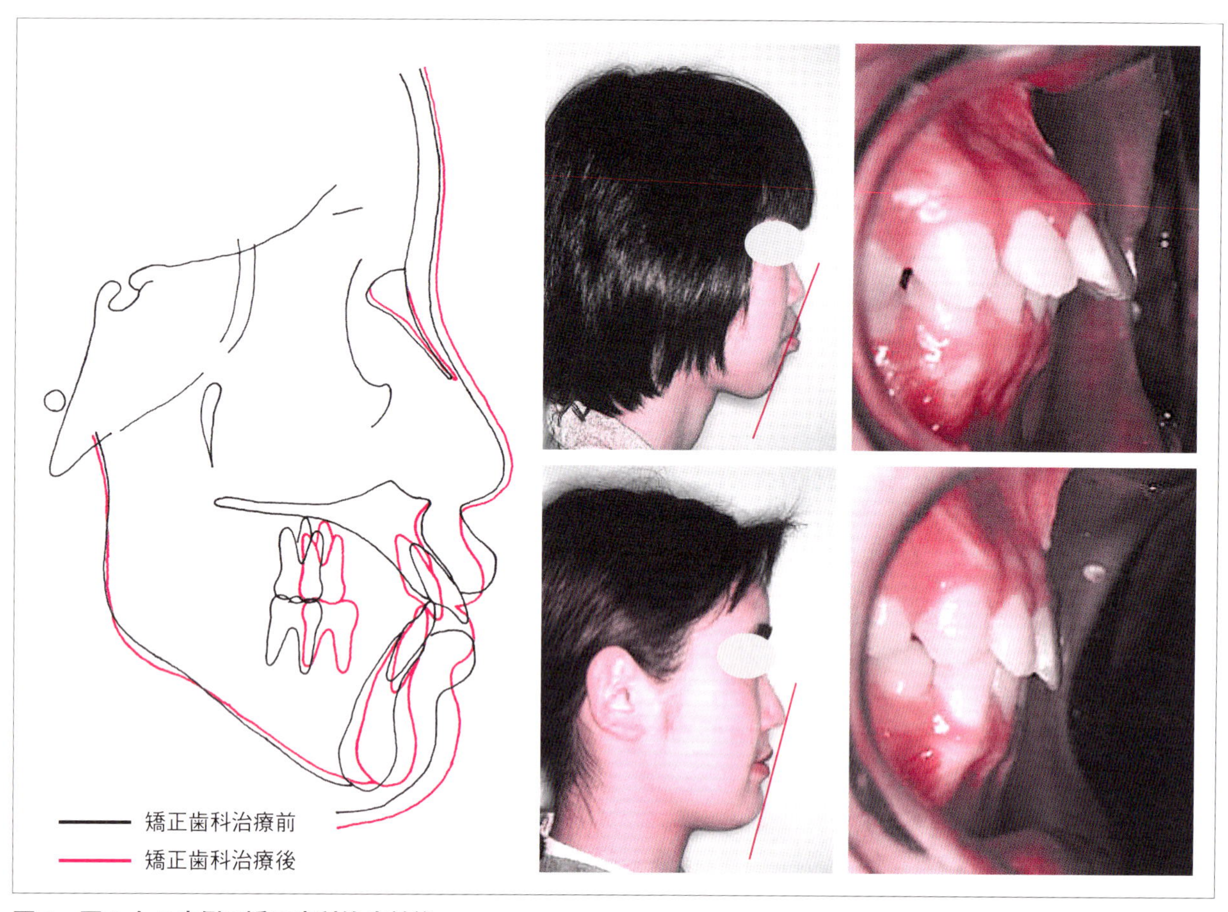

図 9　図 8 上の症例の矯正歯科治療前後

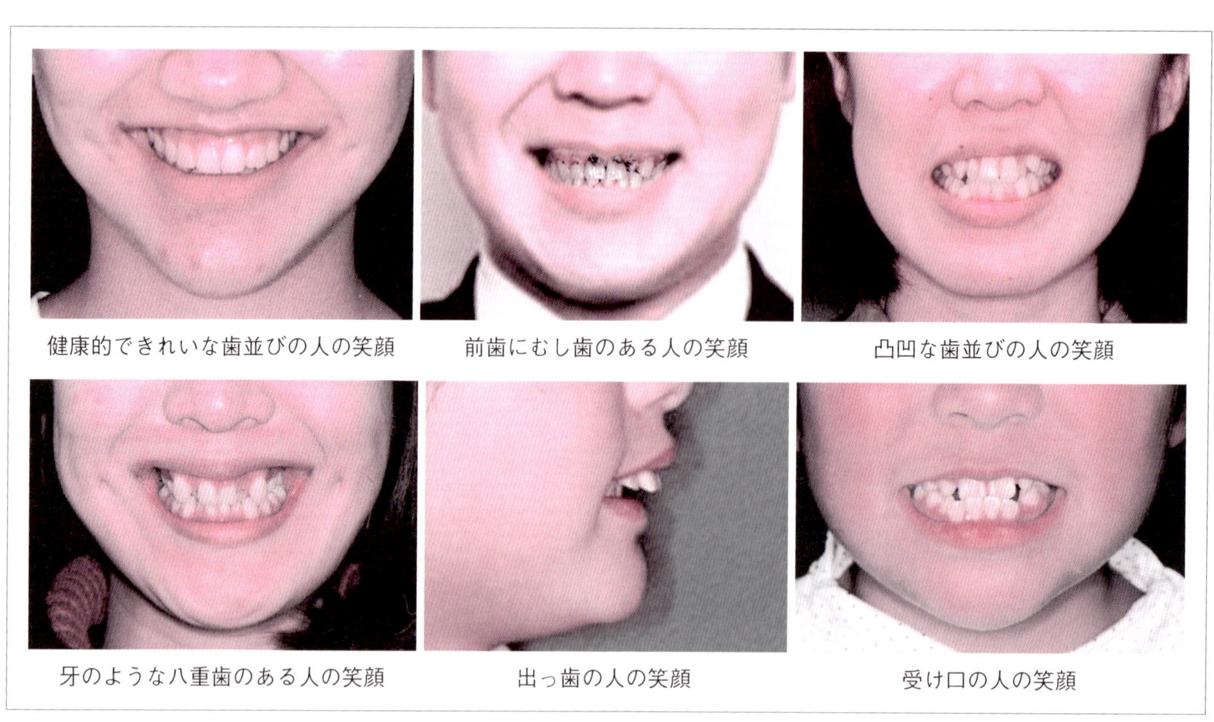

図 10　むし歯，凸凹な歯並び，八重歯，出っ歯，受け口と笑顔

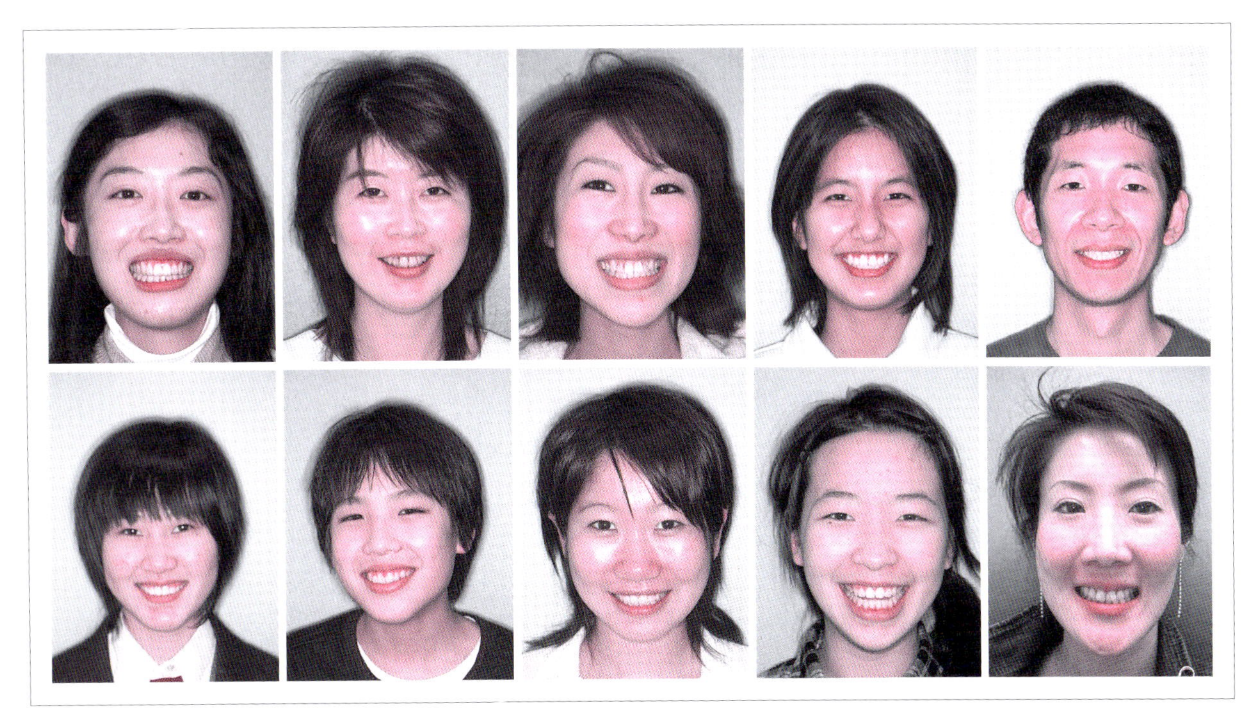

図 11　自信に溢れた笑顔

不正咬合

口腔清掃困難，むし歯・歯周病での歯の喪失

＊残存歯数が少ない人ほど寿命が短くなる.
＊認知症の発症や転倒する危険性が高い.
＊保有する歯が 19 歯以下の人は，20 歯以上の人と比較して要介護認定を受ける割合が 1.2 倍に上昇し，要介護状態になる危険性は歯が多い人ほど少ない.
＊口腔ケアを行うと誤嚥性肺炎のリスクが低下する.
＊歯の喪失は骨密度の減少に影響する.

歯性病巣感染

＊むし歯，歯周病の病原菌─歯と離れた全身性の感染症を引き起こす.
＊歯周病の炎症性物質─動脈硬化，骨粗鬆症，早産，低体重出産，糖尿病

口腔に関連した機能の障害から全身へ

＊前歯前突 ⇔ 口唇閉鎖不全 ⇔ 口呼吸 → 免疫力の低下
＊小下顎症 →舌根沈下（舌位の後退）→ 睡眠時無呼吸症候群

不定愁訴

＊咀嚼筋をはじめとする口腔周囲筋のバランスの崩れ → 全身の筋肉のバランスの乱れ →頭痛，肩こり，腰痛，骨格のバランス の乱れ→ 全身症状の拡大
＊集中力の欠如
＊自律神経の乱れ

図 12　全身の健康への影響

むし歯や歯周病に感染すると歯ぐきや根尖部から血管内に細菌が侵入し，血流にのって細菌自体あるいは細菌毒素や免疫系を介した炎症物質の影響により歯とは離れた全身性の感染症を引き起こすこともあります．これを「歯性病巣感染」といいます．近年，歯周病の炎症性物質（IL-1やTNFなど）を介した全身への影響が注目され，動脈硬化，骨粗鬆症，早産・低体重出産，糖尿病に関しては多くの知見が集積されつつあります．

また，前歯の前突による口唇閉鎖不全は口呼吸と相互に関連し，鼻粘膜を介さない呼吸は免疫力を低下させ，小下顎症では気道が狭窄して睡眠時無呼吸症候群の原因となることがあります．

不正咬合を放置すると咀嚼筋をはじめとする口腔周囲筋のバランスが崩れて顔や頭，肩や腰の筋肉にまで影響を及ぼし，その結果，頭痛，肩こり，腰痛などの不定愁訴が生じることがあります．また，同時に集中力が欠如したり，イライラしたりと，精神的な影響にも及んでいきます．特に，臼歯のかみ合わせの不具合は自律神経の機能を乱す可能性が指摘されています．

まとめ

歯並び，かみ合わせに対する関心は年々高まっていますが，「矯正相談を受けよう」と積極的に矯正歯科を訪れる人はまだまだ少なく，矯正歯科の敷居は依然として高いようです．

歯，口の役割，そして不正咬合がもたらす障害および矯正歯科治療の役割を十分認識された歯並びコーディネーターの方々には，歯並び，かみ合わせに悩む人々の身近な相談相手となって，①矯正歯科に関する知識の普及，②国民の福祉と健康増進に貢献していただきたいと願っています．

参考文献

1）日本臨床矯正歯科医会：歯並びと矯正歯科治療に関する意識調査．2010．
2）常盤　肇：お口は健康の源である―予防と包括的歯科医療における不正咬合治療の役割―．日顎咬合会誌，48(1)：38-43，2017．
3）宮崎晴代，茂木悦子，斉藤千秋ほか：8020達成者の歯科疾患罹患状況および生活と健康に関する調査結果について．歯科学報，104(2)：140-145，2004．
4）日本歯科医師会：健康長寿社会に寄与する歯科医療・口腔保健のエビデンス．日歯医会誌，66(10)：25-34，2015．

第6章　矯正歯科治療の目的と矯正装置

小谷田　仁

第6章

矯正歯科治療の目的と矯正装置

はじめに

近年，矯正歯科治療の世界では，咬合論の導入，新合金ワイヤー，ストレートワイヤーテクニック，舌側矯正，セルフライゲーションブラケットの開発などさまざまなイノベーションが起こっています．その一方で，いわゆる「アライナー」などの可撤式マウスピース型矯正装置による新しい試みも一定の成果をあげています（図1）．

本章では，従来からの基本的な矯正装置に加え，近年取り入れられている新しい装置について，その特徴と目的について解説します．

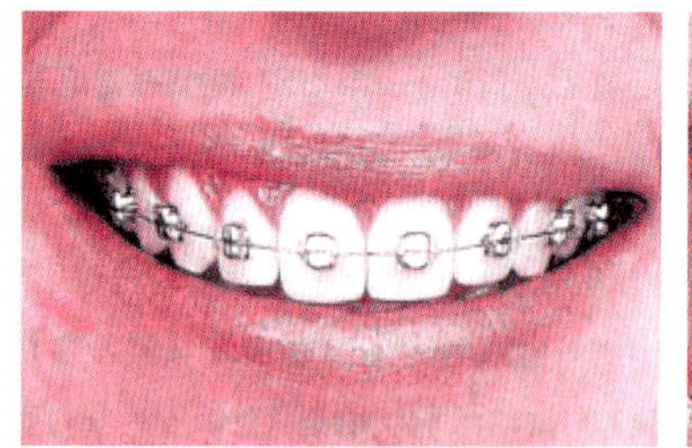
メタルブラケット

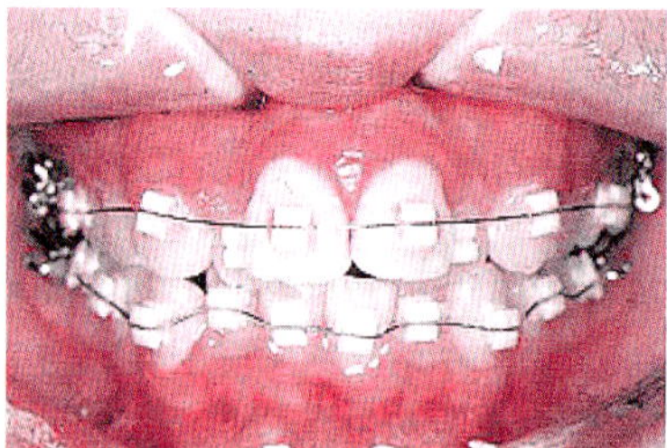
セラミックブラケット

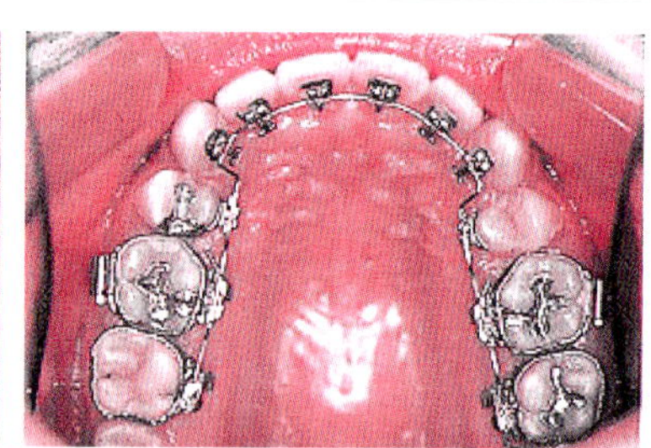
リンガルブラケット

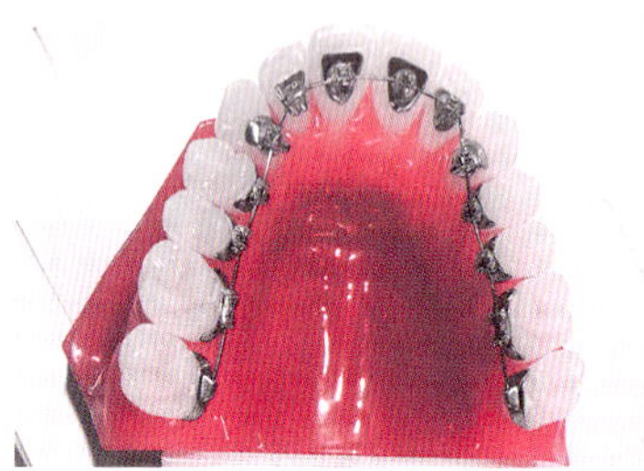
デジタルカスタマイズドブラケット

セルフライゲーションブラケット

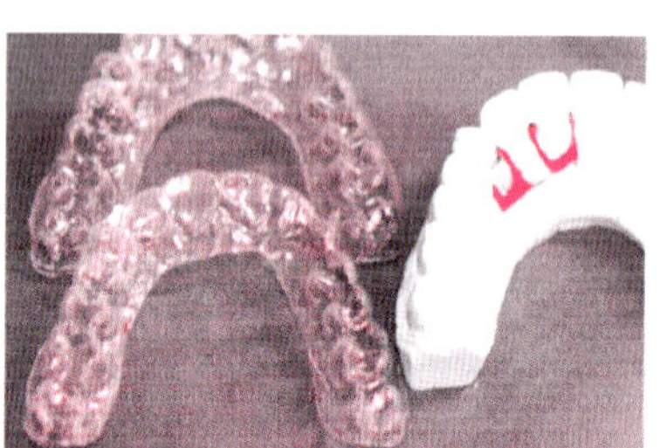
可撤式マウスピース型矯正装置

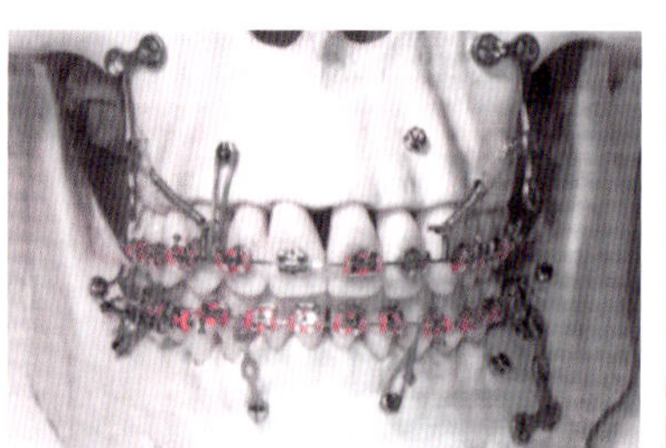
歯科矯正用アンカースクリュー

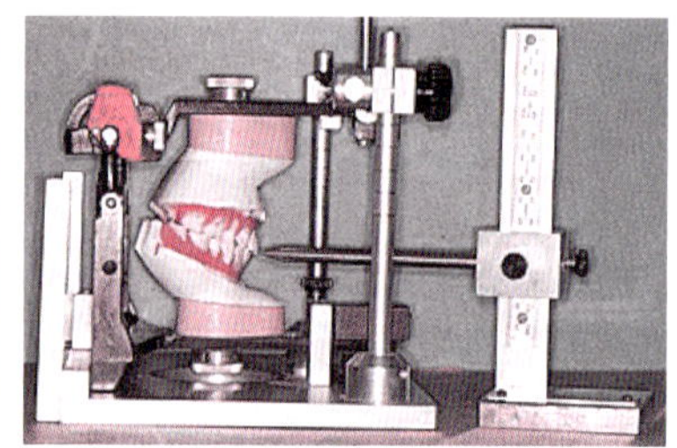
CORE システム
理想的機能咬合の確立

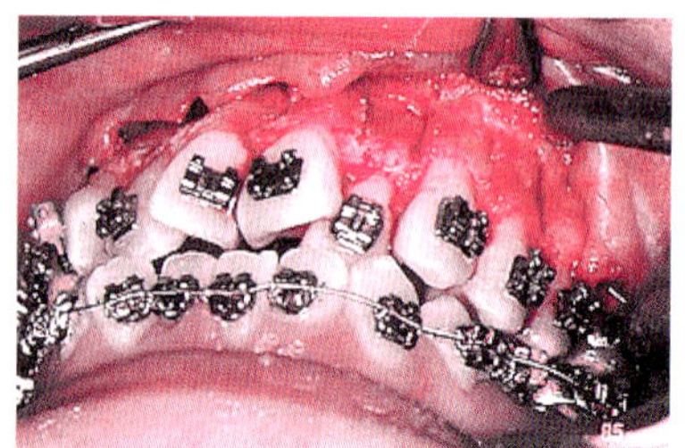
コルチコトミー

図1　矯正歯科治療におけるイノベーション

矯正歯科治療の目標

一般的には，矯正歯科治療の目標は形態（審美）と機能（咬合）の改善です．矯正の権威である，Roth, R.H. などは，表 1 の 7 つの項目を矯正歯科治療の目標としています[1]．

矯正歯科治療の現代，将来の課題と目的

矯正歯科治療の課題としては次の項目が挙げられます．

①顎関節を含めた理想的機能咬合を確立するための治療システムの構築

②治療期間を短縮する術式の開発

③患者さんにとって審美的で快適な装置の開発

実は，すでにこれらの課題に対する結論は出ているといえます．

上記①に対する回答は CORE システム（コアシステム）です．

また，②に対する回答は，コルチコトミー，セルフライゲーションシステムにより実現できます．

そして③については，小型のリンガルブラケット，可撤式のマウスピース型矯正装置などがすでに開発され，多くの臨床の現場で実績をあげています．

Notes

CORE システム

治療目標となる理想的機能咬合にあわせて作製したセットアップモデルを基準にブラケットの位置を定め，正確に患者さんの口腔内に接着するためのレジン・コアを製作する術式．

矯正歯科治療の分類

ここで矯正歯科治療について理解を促すために，その分類についてまとめておきます．

矯正歯科治療は，目的と矯正範囲により分類できます．

目的別の分類とはすなわち，補綴，歯周および外科治療を前提とした矯正歯科治療をいいます（表 2）．

矯正範囲による分類では，歯の小移動から包括的矯正まで分類されます（表 3）．

さらに，補助的矯正と包括的矯正にも分類でき，たとえば前歯空隙歯列のケースで，矯正歯科治療によって補綴装置のスペースをつくるような補綴処置（ブリッジ，インプラントなど）を目的とした矯正歯科治療は補助的矯正に分類され，適応や治療期間の目安は表 4 のようになります．それに対して，治療範囲が全顎にわたる場合は，包括的矯正に分類されます．

表 1　矯正歯科治療の目標

- 歯列の審美性
- 機能的咬合の確立
- 臼歯部咬合の確立
- 顔面の審美性
- 下顎位の安定
- 下顎歯列の確立
- 歯周組織の健康の維持

表 2　目的別分類

- 補綴前矯正
- 歯周治療のための矯正
- 外科前（後）矯正

表 3　矯正範囲による分類

- 歯の小移動（MTM）
- 限局矯正
- 部分矯正
- 歯の大移動
- 本格的矯正歯科治療
- 包括的矯正歯科治療

表4　補助的矯正と包括的矯正の相違点

	補助的矯正	包括的矯正
対象年齢	成人が主体	小児か成人
症例	不正咬合が一部に限局している（歯槽性不正歯列）	全顎的不正咬合が主体（骨格性不正歯列）
範囲	歯槽内における少数歯の移動	顎矯正を含む全顎的矯正
動的治療期間	1年以内	2～3年
使用装置	局所的固定装置や可撤式の床矯正装置	基本的に固定式矯正装置

矯正装置の種類

矯正装置は大きく分けて，器械的矯正装置と機能的矯正装置の2種類があります（図2）.

さらに器械的矯正装置は可撤式と固定式に，そこから顎内固定か顎外固定か顎間固定の型式により細分化されています.

一方，機能的矯正装置は，かむ力や口の周りの筋肉の力を利用して成長発育をコントロールする矯正装置です．過蓋咬合や機能性反対咬合の治療などに用いる装置で，ヨーロッパ諸国では，機能的矯正装置を活用した予防・抑制矯正が積極的に採用されています.

成人矯正における矯正装置（審美的矯正装置）

近年，成人の不正咬合の増加が認められます．その理由としては以下のことが指摘されています.

①成人症例の絶対数が多い.

column　エッジワイズ法

エッジワイズ法（Edgewise technique）は，マルチブラケット法のひとつです．Angle, E.H. によって1928～1929年に発表された装置がその基礎であるといわれています.

エッジワイズ法は，現代の矯正歯科治療の主流をなすものであり多数の変法が存在しますが，その代表的なものとして，Tweed法，Bull法などがあげられます．そして，ブラケットにさまざまな情報を組み込んだストレートワイヤー法へと発展しています.

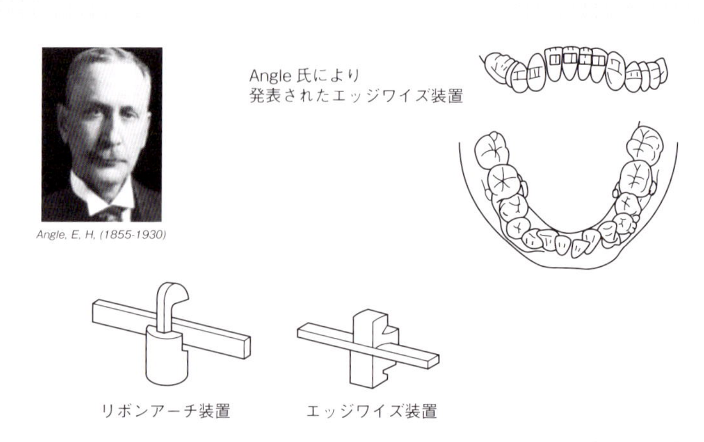

エッジワイズ装置（小坂　肇：プレーンアーチ法　第2版．医学情報社，2008．より）

- 器械的矯正装置
  - 可撤式矯正装置
    - 顎内固定装置
      - 床矯正装置（保定装置，マウスピース型矯正装置など）
    - 顎外固定装置
      - ヘッドギア（上顎顎外固定装置）
      - チンキャップ（オトガイ帽装置）
      - 上顎前方牽引装置
  - 固定式矯正装置
    - 顎内固定装置
      - 舌側弧線装置（リンガルアーチ）
      - 急速拡大装置
      - マルチブラケット装置
- 機能的矯正装置
  - アクチバトール
  - バイオネーター
  - フレンケル装置
  - ビムラーアダプター
  - 咬合斜面板
  - 咬合挙上板
  - 口腔習癖除去装置
  - リップバンパー
  - ムーシールド　など

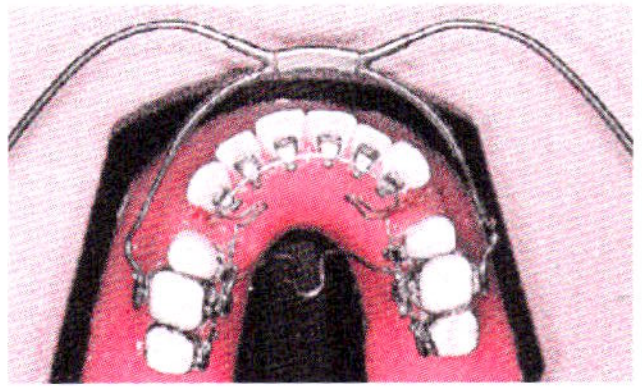

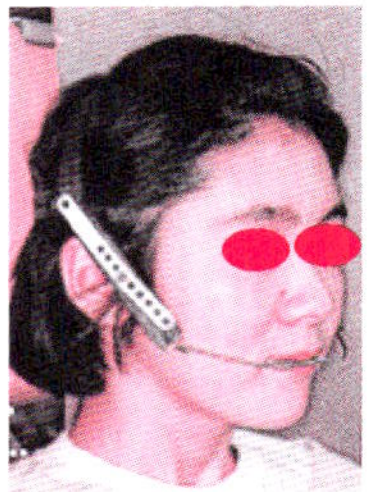

ヘッドギア（ハイプル）

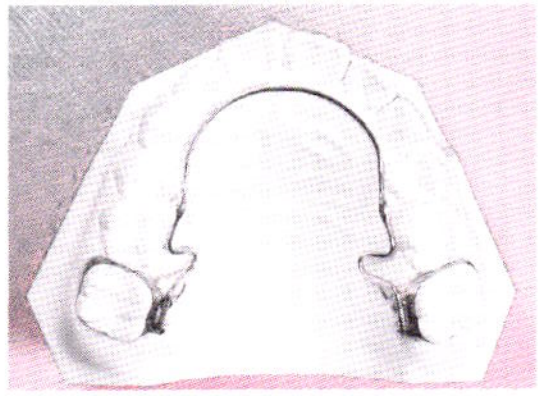

リンガルアーチ

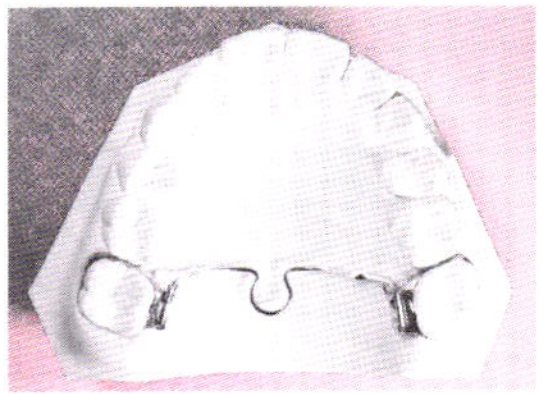

トランスパラタルアーチ

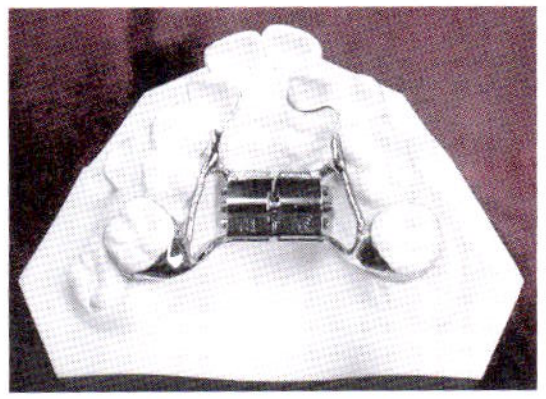

急速拡大装置

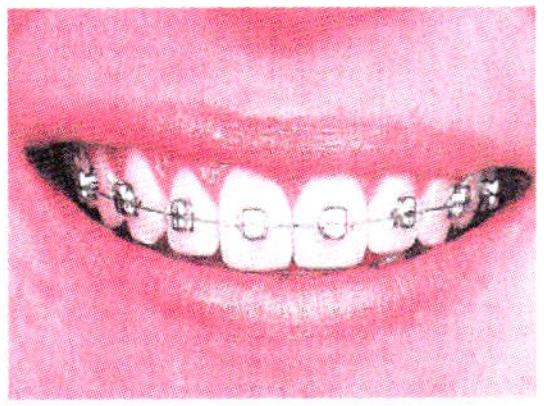

メタル

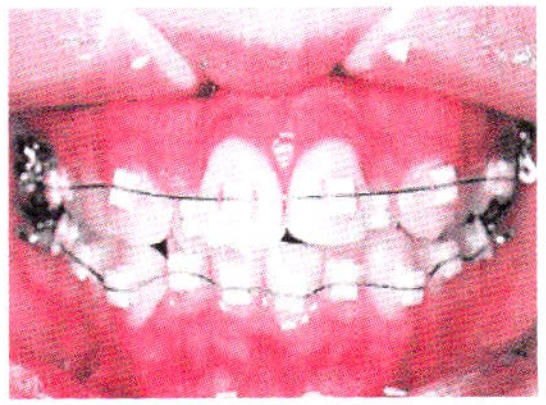

セラミック

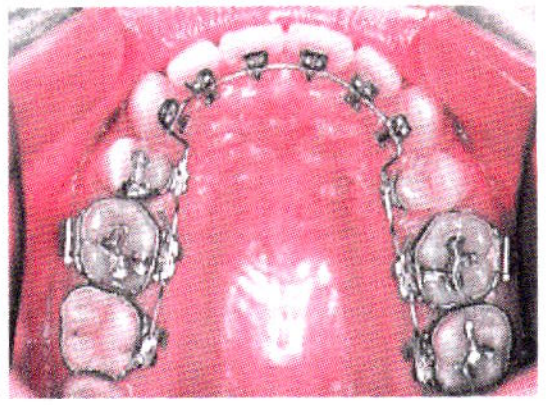

リンガル

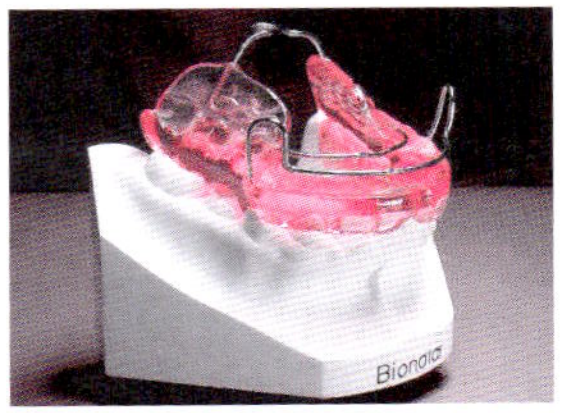

バイオネーター

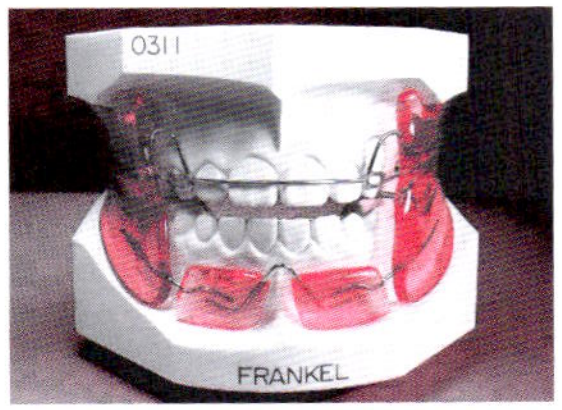

フレンケル装置

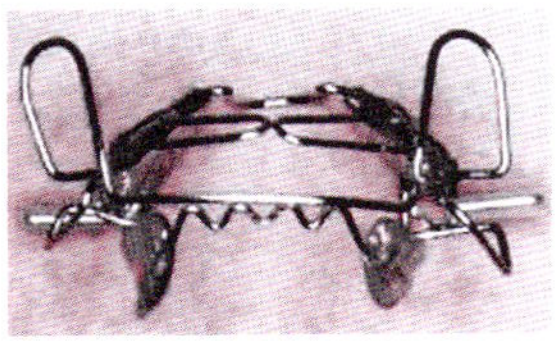

ビムラーアダプター

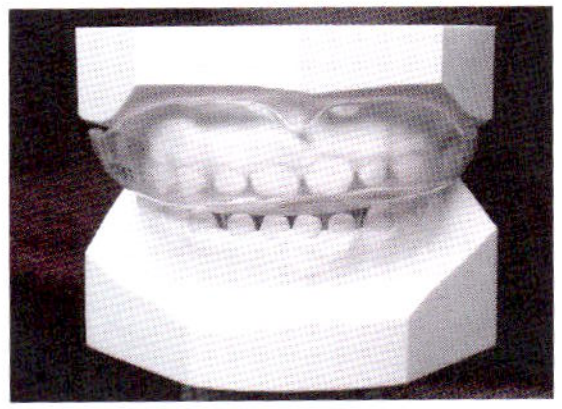

ムーシールド

図 2　矯正装置の分類

（参考：歯科矯正学 第 6 版，医歯薬出版）

表 5　成人の矯正歯科治療の特徴

生物学的要因
● 生体組織の適応能力の低下によって，矯正力による病的変化を起こしやすい．
● 歯根吸収，歯肉退縮および後戻りなどが起こりやすい．
● 矯正歯科治療の期間が小児に比較して一般的に長くなる．
● 骨格的形態異常の改善は困難である．
● 歯の支持組織の病的変化，咬耗，歯の欠損および修復物の増加による咬合位，筋活動の変化が起こりやすい．
● 成人病などの全身疾患を有する症例がある．
社会的・心理学的要因
● 審美性などに対する要求が高い．
● 職業などによる社会的制約によって，治療期間や術式が制限を受けることがある．
● 治療方針などに対する理解力は高いが，心理的問題を伴う症例がある．

（寿谷　一：Personal communication．より）

②経済的に矯正歯科受診が可能になった．

③若年期の矯正歯科治療の後戻りが生じた．

④審美的矯正装置が普及した（リンガル，セラミック，可撤式マウスピース型矯正装置）．

寿谷[3]は成人の矯正歯科治療の特徴について，生物学的要因と社会・心理学的要因に分類し，表 5 のように示しています．

成人では，審美的な改善を求めて矯正歯科を受診するケースが増えていることから，メタルブラケットからセラミックブラケットとファイバーワイヤー，そしてリンガルブラケットによる舌側矯正などの新しい術式が開発され，広く普及しています．また，従来からの可撤式床矯正装置（プレート）のほか，最近は歯の小移動（MTM）に用いる可撤式マウスピース型矯正装置が審美的矯正装置として多用されています．

column　ストレートワイヤー法

スタンダードなエッジワイズ法では，歯の三次元的理想位置の情報をワイヤーに入れます．

ストレートワイヤー法は，歯の三次元的理想位置の情報をブラケットに組み込むことで，ワイヤーのストレート化が可能になりました．

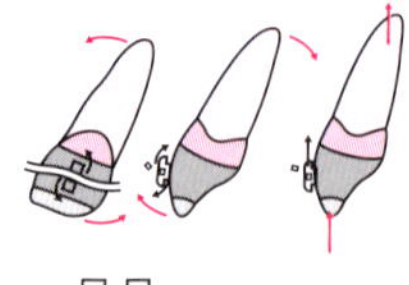
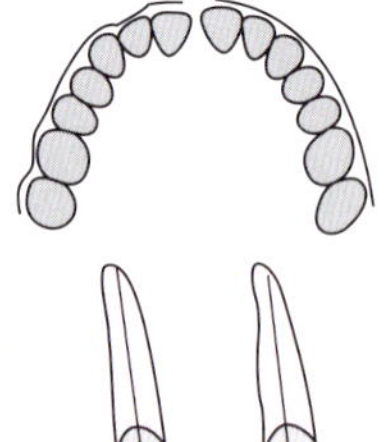
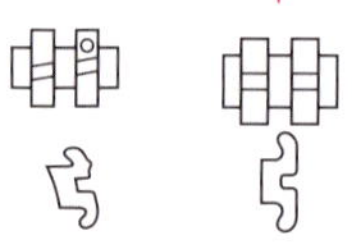

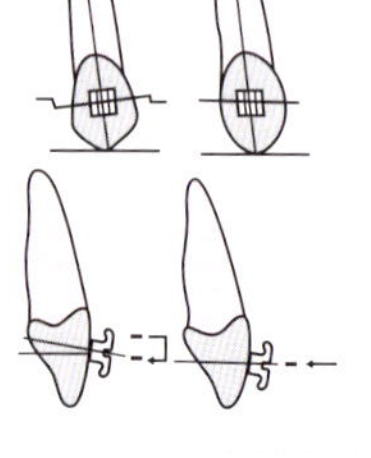

スタンダードなエッジワイズ法とストレートワイヤー法の比較

表6　審美的矯正装置の特徴

	セラミックブラケット	リンガルブラケット	マウスピース型矯正装置
外見	装置が白いため，あまり目立たない．	審美的には固定式装置のなかで，もっとも優れている．	あまり目立たない．
コスト	メタルブラケットに比較して割高	装置，技工の費用が高額	唇側装置と同じ
期間	術者の技術，経験，装置により多少異なる．	熟練した術者が担当すれば治療期間は唇側と同じであるが，過蓋咬合などの症例では唇側より早期に完了する可能性がある．	患者の装置使用時間によって決まる（1日18～20時間の装着）．
違和感	口唇や頬の裏側に装置が当たり違和感がある．	装着後から数週間は，舌が順応するまで発音障害，違和感があるが個人差が大きい．違和感の少ない小型の装置もある．	装着時は違和感があり発音しにくいが，外すことができる．
清掃性	装置が直視できるため清掃しやすい．	装置を直視できないため，清掃は比較的難しい（舌による自浄作用がある）．	装置を外すことができるため，清掃性に優れる．
制約	歯のない症例以外，すべての症例に装着可能である．上顎前突では，装置によってさらに口唇が押し出される．	唇側矯正で可能な症例はすべて適応可能である．バイトプレーン効果により，特にかみ合わせの深い症例に効果的である．	軽度の叢生や歯間空隙など，限られた症例だけに用いられる．

表6に審美的矯正装置の特徴についてまとめました．

リンガルブラケットの長所と短所

リンガルブラケットは固定式装置のなかで，もっとも審美的に優れた装置ですが，装置，技工の費用が高額のため，また術者の高度の技術が必要なためどうしてもコストが高くなります．また，装置装着後，数週間は舌が装置に順応するまで，発音障害，違和感があります．ただし，最近は小型の装置が使用されているために，順応しやすくなっているといえるでしょう（図3）．

清掃性については，装置を直視できないため，比較的難しいといえます．リンガルブラケットによる舌側矯正は唇側矯正に比較して治療期間が長くなるといわれていますが，熟練した術者が担当すればそれほど違いはないと思われます．特に，かみ合わせの深い症例では，リンガルブラケットのバイトプレーン効果により唇側より早期に完了する可能性もあります．

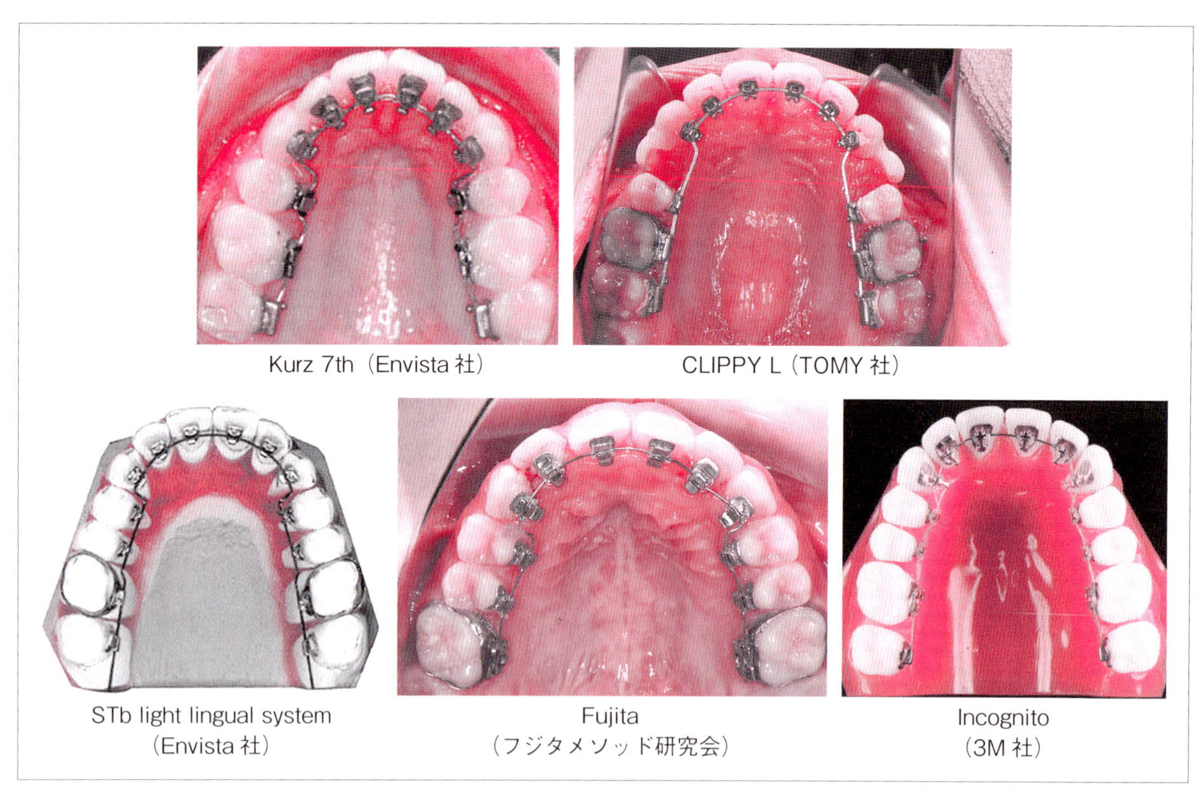

図 3　リンガルブラケットの種類

マウスピース型矯正装置の適応症と使用時間

マウスピース型矯正装置の基本的な適応症は，非抜歯で治療可能な比較的難度の低いケースに限られます．

また，1 日 18 ～ 20 時間装着できない場合には歯が目的の位置まで移動しないので，治療期間が延長したり，治療結果が思わしくないということにもなります．こうした点で，患者の協力度は重要です．

非適応症例は骨格性の問題を含む，いわゆる抜歯症例などの難度の高いケースです．

近年はアタッチメントの併用で適応範囲が広がっていますが，適応症例を慎重に選択することも必要でしょう．

基本的に，食事中や歯磨き時以外は装着するのが望ましい装置です（図 4）．

保 定 装 置

保定装置（リテーナー）とは，動的治療後に移動した歯を保定するための装置です（図 5）．取り外しできるタイプ（可撤式保定装置）と，取り外しできないタイプ（固定式保定装置）があります（第 7 章参照）．

装着すべき期間としては，歯を動かした期間（動的治療期間）と同じだけ使用するのが原則です．特に，矯正歯科治療を終えてから 3 ～ 6 カ月間は，歯が非常に後戻りしやすい状態ですので，歯を磨くとき以外は装着するのが望ましいでしょう．

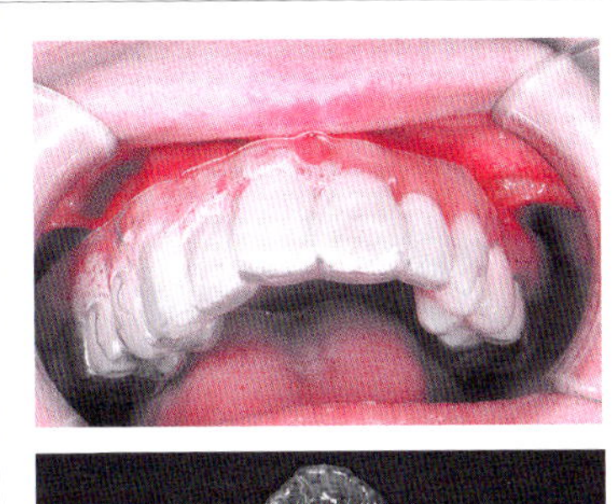

①矯正装置として使用する場合
(1) ローテーションコントロール
(2) 歯列弓の拡大
(3) 圧下ならびに挺出
(4) 空隙閉鎖
(5) 後戻り対策

②保定装置として使用する場合
(1) パッシブリテーナー
(2) アクティブリテーナー

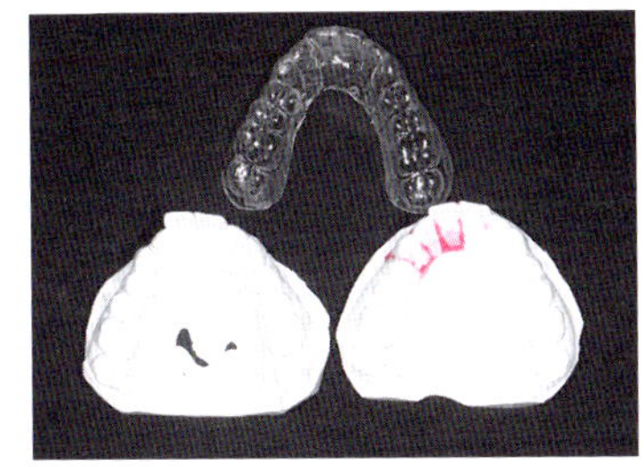

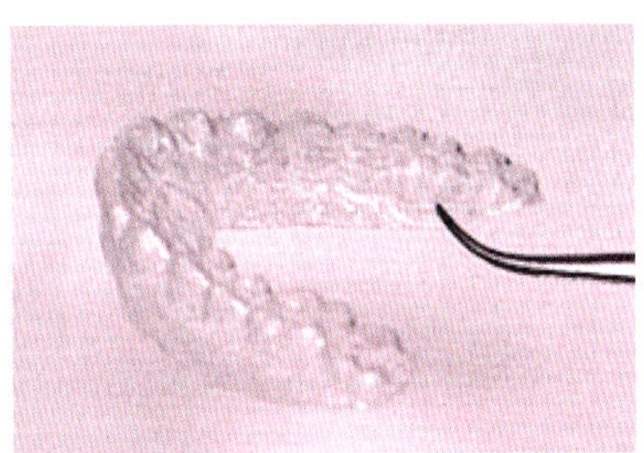

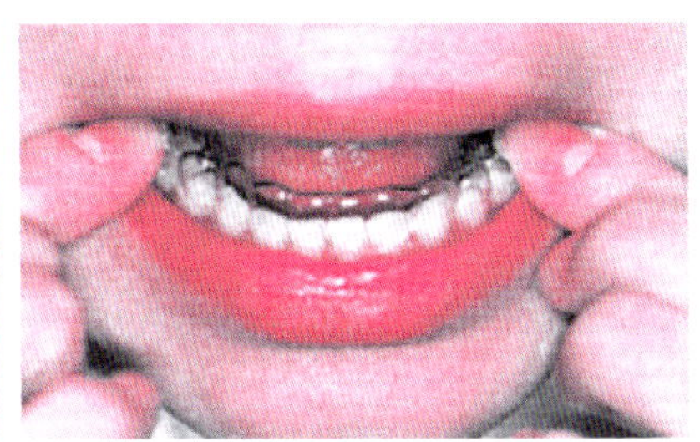

図4 マウスピース型矯正装置

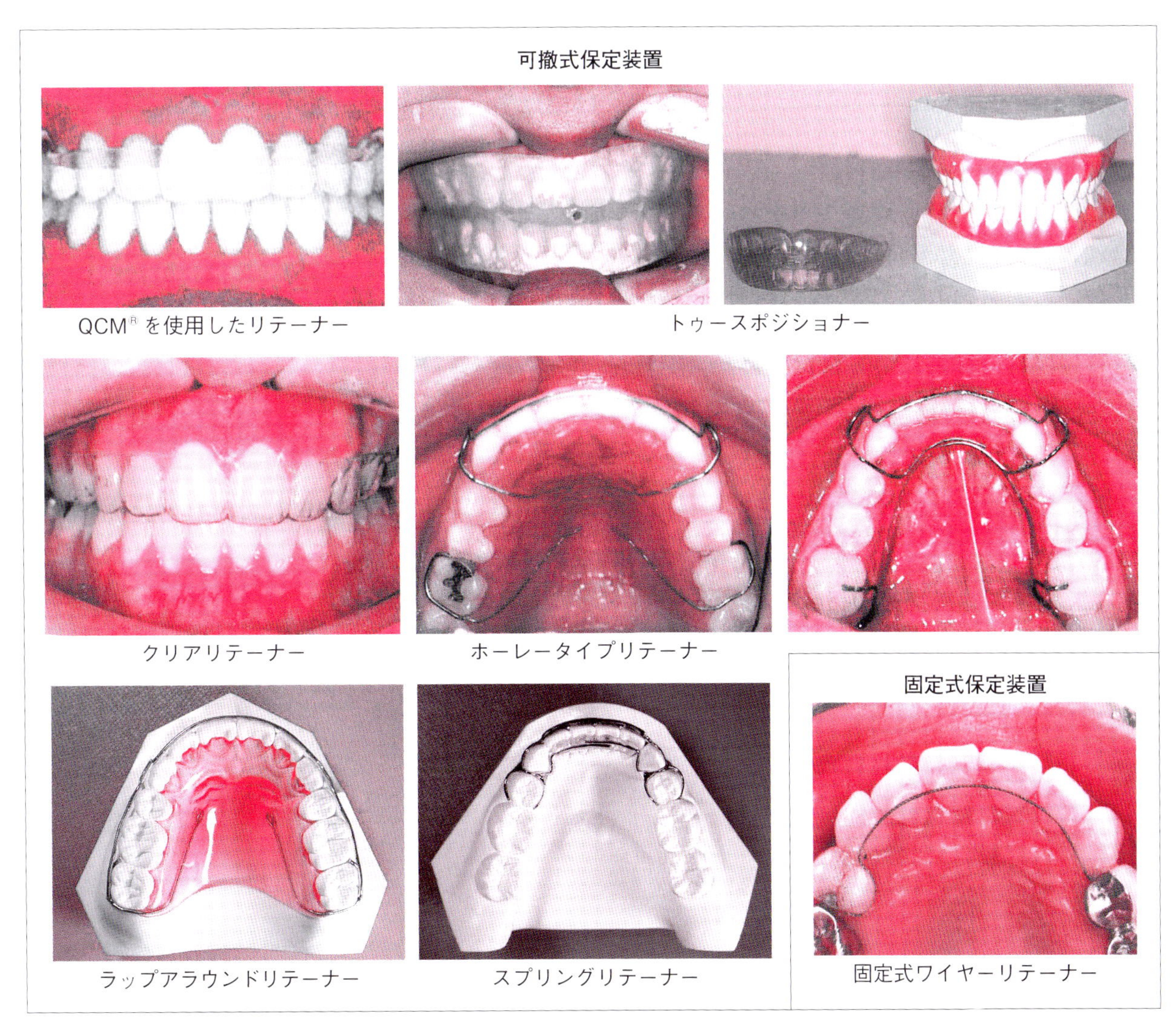

図5 保定装置（リテーナー）

column 現在のマウスピース型矯正装置による治療の問題点

・最近，歯科医師が介在しないかたちで，インターネット上でマウスピース型矯正装置が販売され，歯列の改善への有効性を謳うケースが出てきています．矯正歯科治療は，正確な診断や精密な治療計画に立脚して行われるべき医療行為であり，誤ったマウスピース型矯正装置の使用は予期せぬ大きな問題を引き起こす可能性があります．また，矯正歯科領域全般の基本的な教育および臨床的なトレーニングを受けていない歯科医師によるマウスピース型矯正装置による治療が頻繁に行われ，患者さんとの間で治療，費用に関してトラブルが発生しつつあります．

・昨今，国内外で製作されたカスタムメイド（マウスピース型矯正装置など）の矯正装置が患者さんに使用される事例が増加しており，それにともない一部の装置ではトラブルも発生しております．カスタムメイドの矯正装置は国内外を問わず日本国の薬機法上の医療機器に該当しません．国内の歯科医療機関や歯科技工所で製作されたカスタムメイドの矯正装置は日本の歯科技工士法上の矯正装置に該当しますが，海外で製作されたカスタムメイドの矯正装置は歯科技工士法上の矯正装置にも該当しません（2023 年 6 月現在）．そのため，海外カスタムメイド矯正装置を用いた治療を行う場合は，歯科医師個人の全責任において使用する必要があります．

以上より，マウスピース型矯正装置による治療を受ける場合は，以下の項目を理解，確認したうえで受診することをお勧めします．

・マウスピース型矯正装置は，移動量の少ない症例に限って用いられます．また，毎日長時間（18～20 時間）の装着を必要とし，使用状況によって効果が大きく異なります．

・マウスピース型矯正装置は，薬機法上の医療機器に属しません．使用に際しては，担当歯科医師がすべての責任を負って治療することになります．

・治療を担当する歯科医師は，学会が認める研修機関において矯正歯科全般にわたる基本的な教育と臨床的な研修を修了している必要があります．

・マウスピース型矯正装置の治療で十分な結果が得られなかった場合，マルチブラケット法によりリカバリーする治療を受けることがあります．

【参考文献】

1）Roth, R.H.：Functional occlusion for the orthodontist. J. Clin. Orthod., 15：1981.
2）飯田順一郎ほか編：歯科矯正学 第 6 版．医歯薬出版，2019.
3）寿谷　一：Personal Communications.
4）小坂　肇：プレーンアーチ法第 2 版．医学情報社，187-198，2008.
5）亀田　晃：成人に於ける矯正治療とその限界－成人の矯正治療にあたっての注意事項．歯界展望別冊 / 一般臨床家の行う成人の矯正治療，18-30，1979.
6）山崎俊恒：Self-Ligation orthodontics system における最近の話題－self-ligation, low friction, light force について．東京矯歯誌，16：52-78，2006.
7）長谷川　信，佐藤貞雄：新しい超弾塑性チタン合金ワイヤーによる治療時間の短縮化について．第 67 回日本矯正歯科学会大会誌，178，2008.
8）小谷田　仁，名取晶子：GUMMETAL とセルフライゲーティングによる舌側装置（部分・全部）．クインテッセンス出版，28-36，2013.
9）小谷田　仁：いわゆるマルチリンガルアプライアンスの適応症と装置の選択．第 42 回日本矯正歯科学会学術学大会抄録，1984.
10）山口秀晴：知っててほしい―歯科矯正治療の基本．わかば出版，153，2009.

第7章　どうして歯が動くの？

歯の移動のメカニクスと保定

今村　隆一

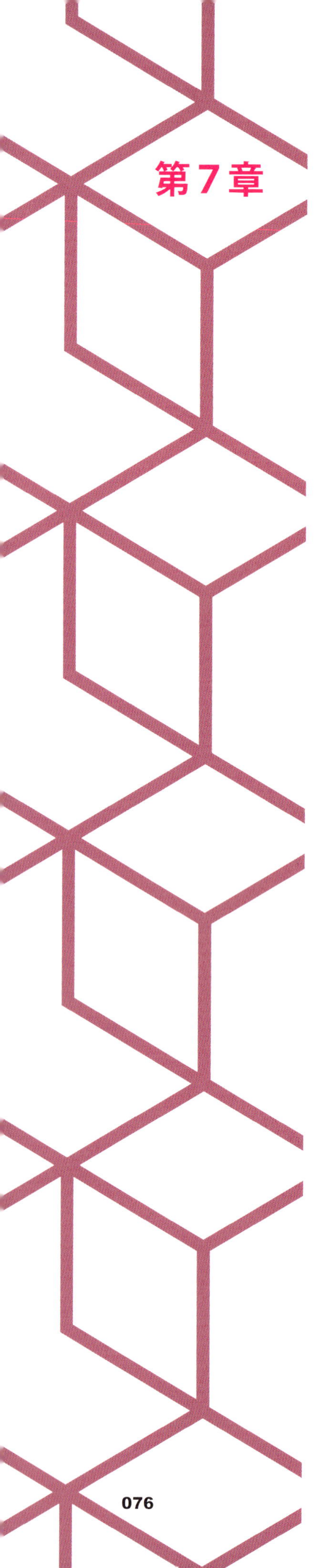

第7章

どうして歯が動くの？

歯の移動のメカニクスと保定

はじめに

日常生活において食物をかむことや加齢により，歯には常に力（咬合力）が加わっています．こうした理由で歯が動く現象を「生理的な歯の動き」といいます．この咬合力は，日本人の男性で平均約 50 ～ 70 kg，女性で 35 ～ 65 kg ほどあるため，もし歯列不正や顎の位置の不正などがあると歯は少しずつ移動していきます．このように，歯列不正やむし歯あるいは歯周病などで歯の形や向きが変わると，咬合力の方向や強さが変化し，予期しない歯の移動が起こる場合があります．この現象を「病的な歯の動き」といって区別しています．

病的な歯の動きがあった場合，矯正歯科治療やむし歯の治療あるいは歯周病の治療を行い対処します．その結果，また生理的な歯の動きに戻ります．すなわち，ヒトの歯は，病的な動きと生理的な動きをくり返しながら一生を送っているといってもよいでしょう．快適で質の高い生活を送るためには，歯の状態をいつも健康に保ち，生理的な状態にしておくことが大切です．

矯正歯科治療とメカニクス

病的な歯の動きの原因のひとつである歯列不正を治療する方法として矯正歯科治療があります．矯正歯科治療とは，さまざまな装置を使って不正に並んだ歯を機能的な位置に再排列したり，顎の成長を人為的にバランスのとれた位置に誘導したりする治療方法です．したがって，矯正歯科治療のためには歯を動かしたり，成長を誘導するための矯正装置が発する外的な力が必要になってきます．これを「矯正力」と呼んでいます．

矯正力にはさまざまな種類のものがありますが，ここでは「器械的な矯正力」と「機能的な矯正力」に大別します（表 1）．「器械的な矯正力」とは，歯を移動させるために器械を利用して発生させる力のことです．一方，歯の移動や顎の成長誘導のために口の周りの筋肉，あるいは唇，舌などの口腔周囲筋を利用して発生する力を「機能的な矯正力」と呼んでいます．

これらの矯正力を獲得するために，矯正歯科治療ではさまざまな材料を用いています．器械的な矯正力は金属，たとえばステンレス，形状記憶合金や，ポリウレタン製などのエラスティック類を用いて得ることができます．

表1　矯正力の種類

- 器械的な矯正力（器械を利用する力）
  矯正装置のワイヤー
  ex．形状記憶合金，ステンレススチール
  補助装置のゴムやバネ
  ex．コイルスプリング，エラストメトリックチェーン
- 機能的な矯正力（生理的な力）
  ex．口腔周囲筋，舌

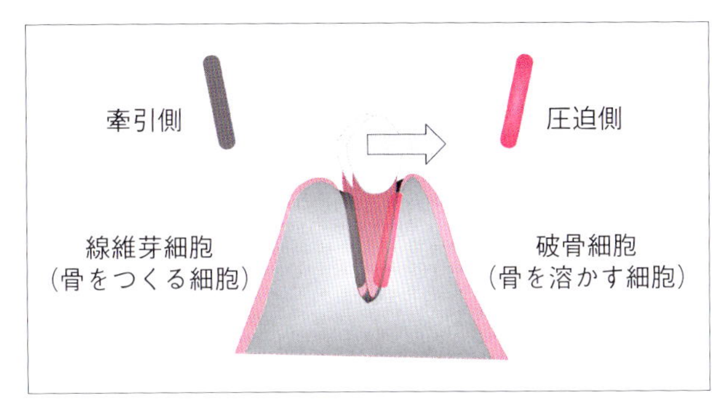

図1　矯正力による歯の移動と組織反応

歯の移動のメカニクス

矯正力の分類

矯正力はその大きさによって3つに分類することができます．すなわち，強い矯正力（ヘビーフォース），弱い矯正力（ライトフォース），最適な矯正力（オプチマルフォース）の3種類です．固定式の矯正装置，あるいは可撤式の矯正装置によって歯に矯正力がかかると，一般的に歯はどのような動きをするのでしょうか．本来これは非常に難しい説明を要することですが，ここでは大まかに捉えていただきたいと思います．

図1に示すようにある方向から矯正力がかかると，歯根膜という歯を支える非常に大切な膜が圧迫されます（圧迫側）．たとえば，右隣に座っている人を肩で押してみてください．そうすると，隣の人の右側に圧迫側が生じ右方へ移動します．そして，自分の左側には空間が生じます．このスペースを「牽引側」といいます．歯の話に戻ると，押しつけられた歯根膜には，変化つまり破骨細胞やマクロファージなどの細胞が出てきます．一方，反対側の牽引側には，血管の新生，線維芽細胞の増殖，基質形成が起きます．こうした変化にともない，矯正力のかかった方向からかけられた方向に少しずつ骨が改造されて，歯が動いていきます．これが，基本的な歯の動きです．歯がこうした動きを行っている間，往々にして痛みが出ることがあります．反応のよい患者さん，つまり歯の動きがよい患者さんほど，痛みが出やすいといえます．

過度の矯正力

矯正力が強いほど，歯根膜への圧迫も強くなります（図2）．そのため，過度の矯正力のかかった圧迫側には重度の血流障害（貧血帯）が生じ，スムースな骨の吸収を阻害する硝子様変性という変化が生じます．また当然，破骨細胞が出現するわけですが，硝子様変性のため，その箇所のスムースな骨の吸収が往々にして阻害されてしまいます．そうすると，そこから少し離れたところに穿下性の骨吸収が生じます．これを「間接性の骨吸収」ともいい，過度の力が作用して予期しないような量の骨吸収が歯根膜や歯根部付近などの予期しない部位に特異的に生じることになるのです．こうした場合，破骨細胞出現後の組

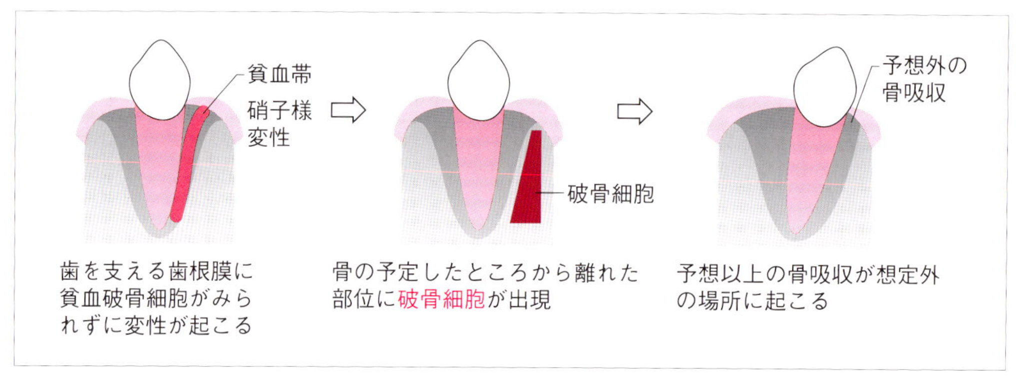

図 2　過度の矯正力

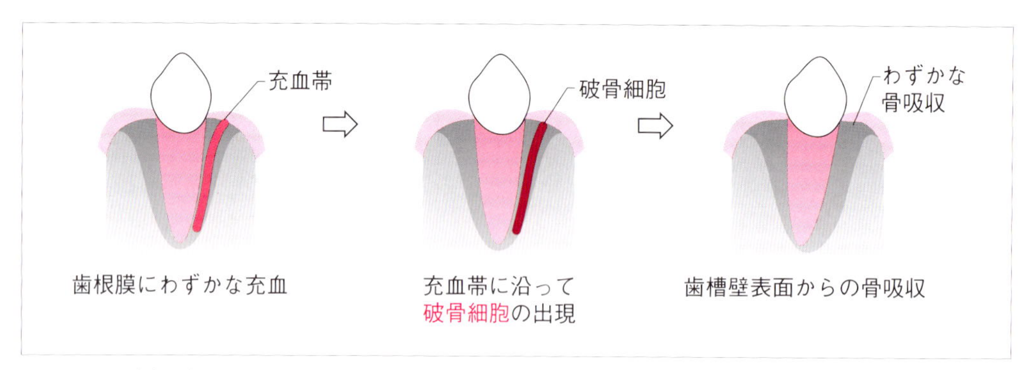

図 3　弱い矯正力

織再構成の反応は少し複雑になり，歯の移動は遅くなります．

弱い矯正力

矯正力が弱いと，歯根膜への圧迫が緩いため，強い矯正力をかけた場合の貧血とは異なり，圧迫側に充血が生じます（図 3）．充血が起きると，破骨細胞が出現し，それに沿って直接的に骨が吸収される，いわゆる「直接性の骨吸収」が生じます．そして，牽引側に骨が再形成されて歯は動いていきますが，その動きはわずかな程度に留まります．つまり，弱い矯正力では，歯にはわずかな動きしかもたらされないということになります．

最適な矯正力

最適な矯正力が作用すると，歯の移動は最大になるといわれるため，われわれ矯正歯科医は，最適な矯正力をいつも探しています．最適な矯正力の大きさは，歯根の表面積によって異なります．表面積の小さい歯ほど弱い力で移動することができます．

最適な矯正力がかかると，圧迫側に破骨細胞が出現し，直接性の骨吸収が生じます（図 4）．これは弱い矯正力をかけた場合とほぼ同じですが，強すぎもせず弱すぎもしない矯正力の場合は適切な骨吸収が起き，歯はわれわれが予定したとおりの量を，予定したとおりの期間で移動します．最適な矯正力をいつも歯にかけることで，痛みが少なく，著しい歯の動揺もなく，移動がスムースに行われることになります．すなわち，患者さんにとってもっとも違和感が少

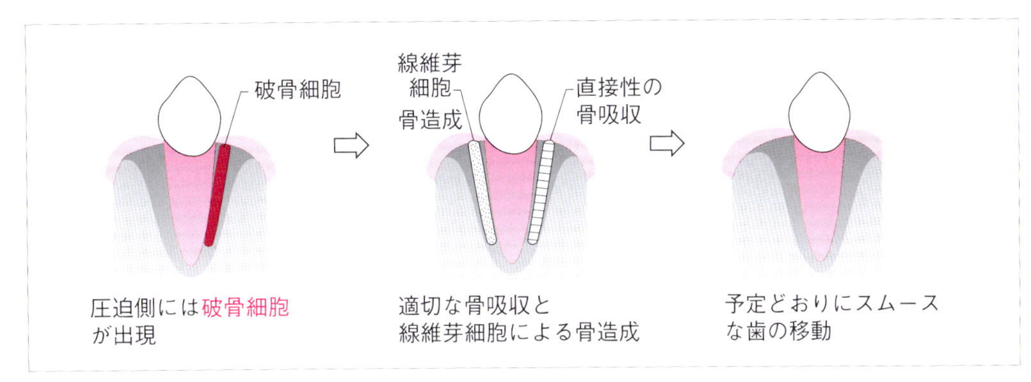

図 4　最適な矯正力

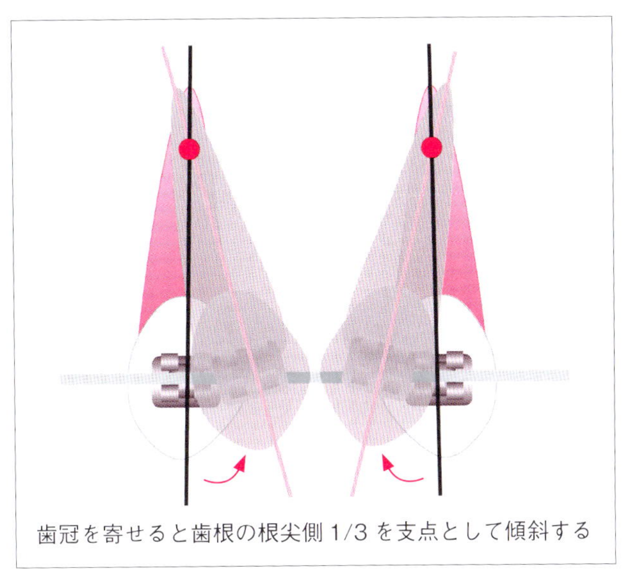

図 5　傾斜移動

なく，協力を最大限に引き出せる力ともいえます．

矯正歯科治療における歯の移動

矯正歯科治療で歯を移動させるには多くの方法がありますが，ここでは 5 つに大別して説明します．具体的には，①傾斜移動，②歯体移動，③挺出，④圧下，⑤回転による移動があります．

傾斜移動

歯を移動させる場合，そのほとんどが傾斜移動からスタートしていきます．歯冠の近遠心方向，あるいは頬舌方向に力を加えると，歯根の根尖側 1/3 付近の中心点を支点として歯は傾くように動いていきます．これが傾斜移動です（図 5）．傾斜移動を利用したものに，数歯の反対咬合の治療があります．上顎歯列の内側（舌側，口蓋側）に舌側弧線装置（リンガルアーチ）を取りつけて行う治療です．第一大臼歯にバンドをつけ，左右のバンドを口蓋側で太いワイヤー（主線）で連結し固定源にします．そこから細いバネとなるワイヤー（補助弾線）をつけ，反対になっている前歯の内側に当てます．この補助弾線から

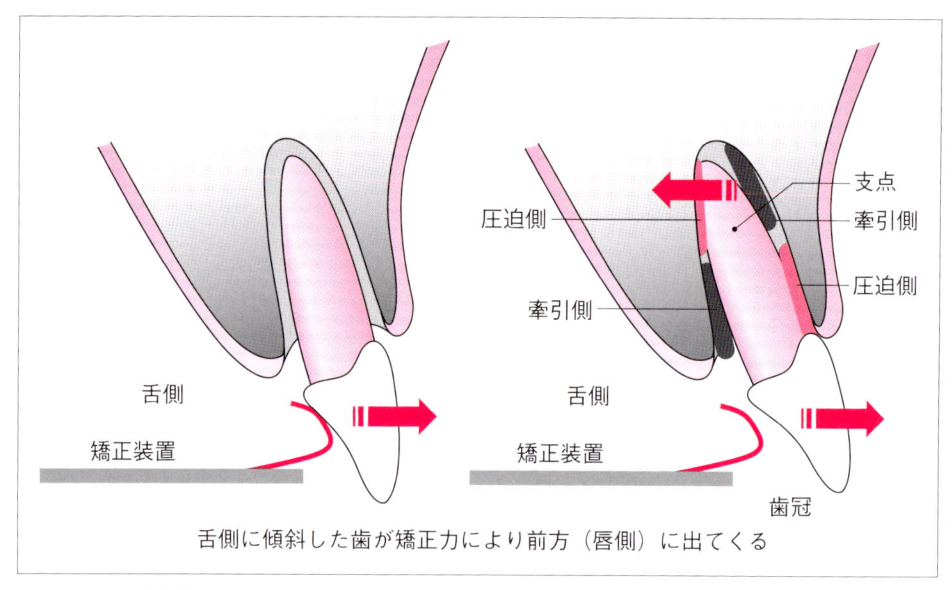

図 6　舌側弧線装置（リンガルアーチ）による傾斜移動

矯正力が発揮されて歯が傾斜移動するのです．

図 6 でみると，内側に倒れている前歯に，矢印で示した矯正力をかけると，歯は根尖側 1/3 を支点に前方に傾斜していきます．矯正力が作用した圧迫側の歯根膜では骨の吸収が起き，逆に広がった牽引側では線維芽細胞が出現して骨の再生が起きます．

この反応を繰り返しながら内側に傾斜した前歯が唇側に傾斜移動します．移動のスピードも非常に速く，周囲の骨が安定するまで維持しておけば治療は完了です．

歯体移動

歯体移動は，歯を平行に移動させる方法です（図 7）．たとえば，歯列の幅が狭くなった上顎の歯列を拡大ネジを使って側方拡大する症例で説明します（図 8）．口蓋床の中央に装着した拡大装置のネジを回転させることにより，床が左右に分離し歯列弓が側方に広がります．このとき，歯は傾斜することなく歯軸が平行に移動していきます．これが歯体移動です．

ワイヤーに組み込んだループでの正中離開の治療にも歯体移動が認められます（図 9）．すなわち，前歯の歯間が空いているような歯を互いに引き寄せるため，閉じてつくられたループを開いた状態にしてブラケットに装着します．すると歯は歯体移動して左右から寄ってきて隙間が閉鎖します．これをエラストメトリックチェーンなどで強く引っ張ってしまうと傾斜移動になってしまい，歯間は閉鎖したものの歯根側に隙間が残ってしまうような結果を招いてしまいます．

図 7 に示したように，歯根の移動側全体に圧迫側が生じ，その反対側に牽引側ができる状態で，歯軸が傾斜することなく直立のまま移動するイメージです．

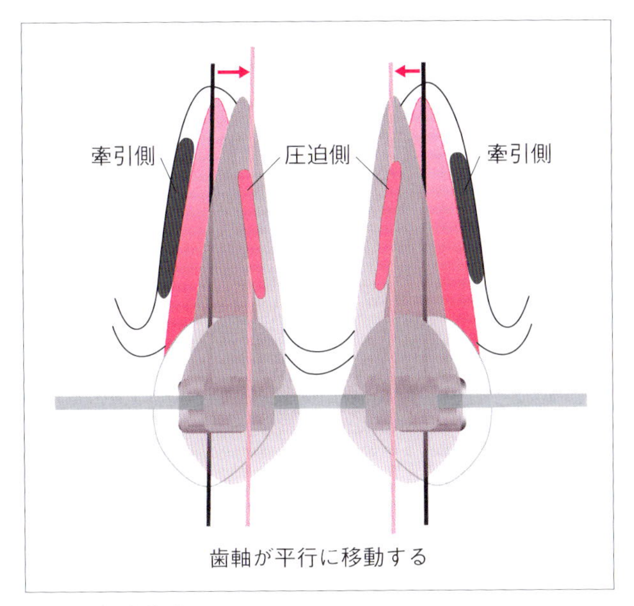

図 7　歯体移動

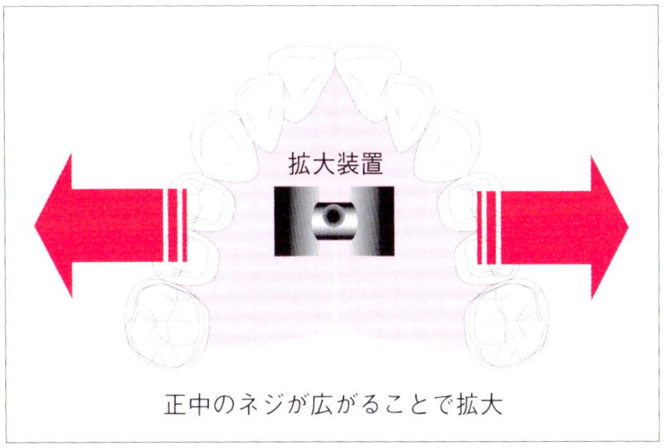

拡大装置

正中のネジが広がることで拡大

図 8　拡大ネジによる歯列弓の側方拡大

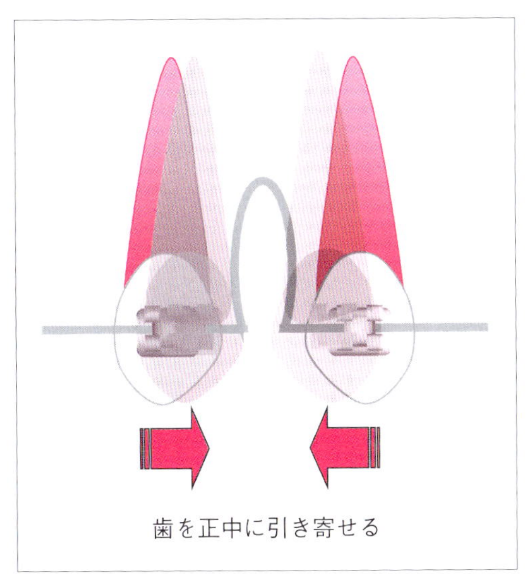

図 9　ループでの正中離開の治療

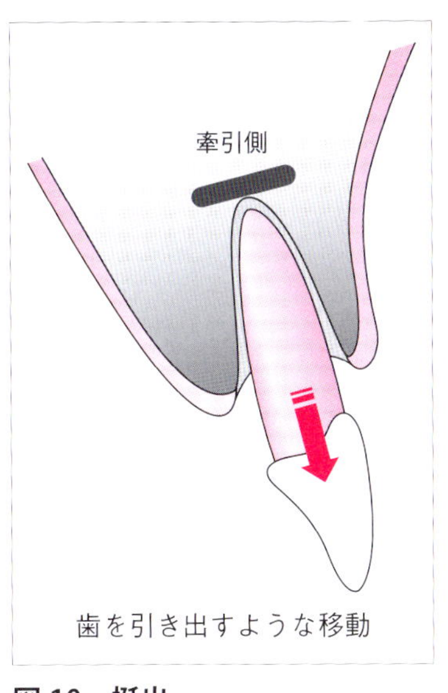

図 10　挺出

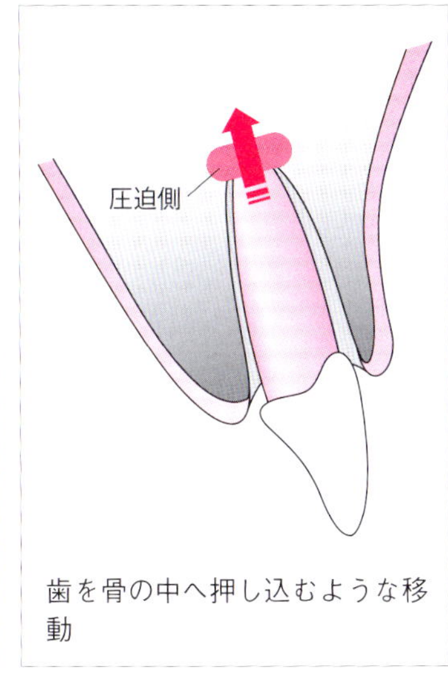

図 11　圧下

挺　出

「挺」には「真っすぐ，ぴんとしている」という意味があるように，歯軸に沿って骨の中から歯を引き出すような動きをいいます（図 10）．つまり，歯冠方向に矯正力を加えることで，根尖部に牽引側が生じ，そこに骨が再形成されて歯槽骨から抜け出る方向にスムースに動くのです．

圧　下

挺出と反対に，歯を歯槽内へ押し込むような動きです（図 11）．歯軸に沿って矯正力を加えると，根尖部に圧迫側が生じます．そうすると，骨が吸収され，歯は押し込まれるように動きます．

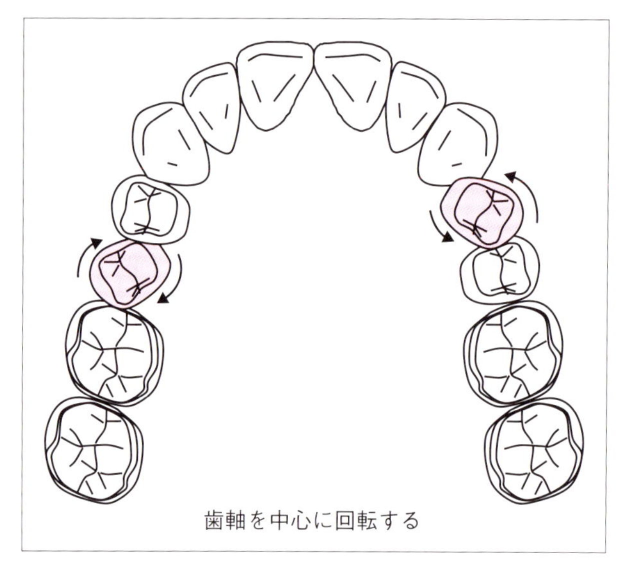

図 12　回転

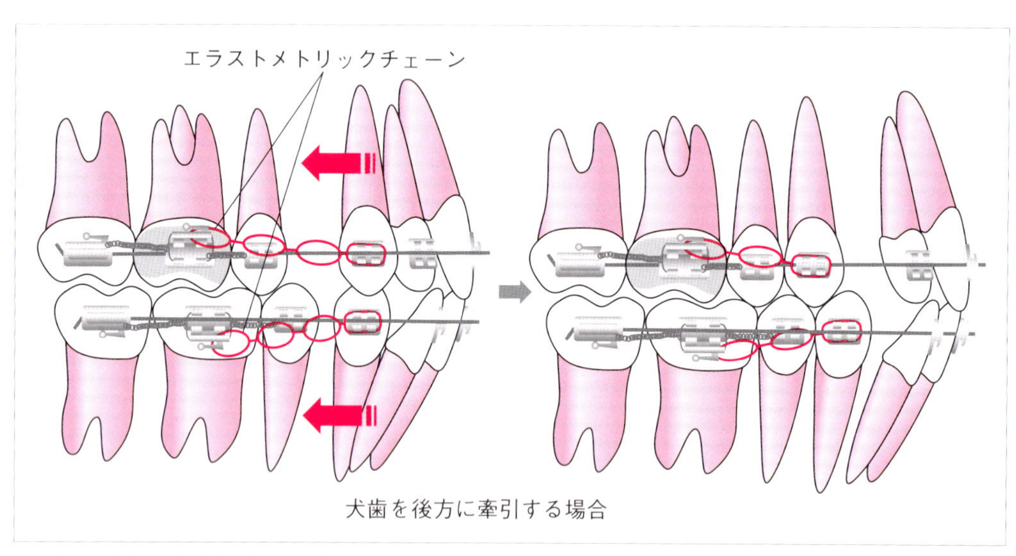

図 13　エラストメトリックチェーン

回 転

回転とは，文字どおり歯の長軸を中心にコマのようにねじるような動きをさせることです．歯の幅や歯間によっては十分にスペースをつくってから行う必要があります．ねじる方向をよく考えて行います（図 12）．

器械的な矯正力のためのツール

以下に，器械的な矯正力を発生させる材料のいくつかを紹介します．

エラストメトリックチェーン

これは，熱可塑性のポリウレタンを素材とした高弾性のゴム糸で，その収縮力を利用して歯を牽引して矯正するものです．図 13 にあるように，たとえば犬歯を遠心（後方）に向かって移動しようとする場合に，固定源となる大臼歯

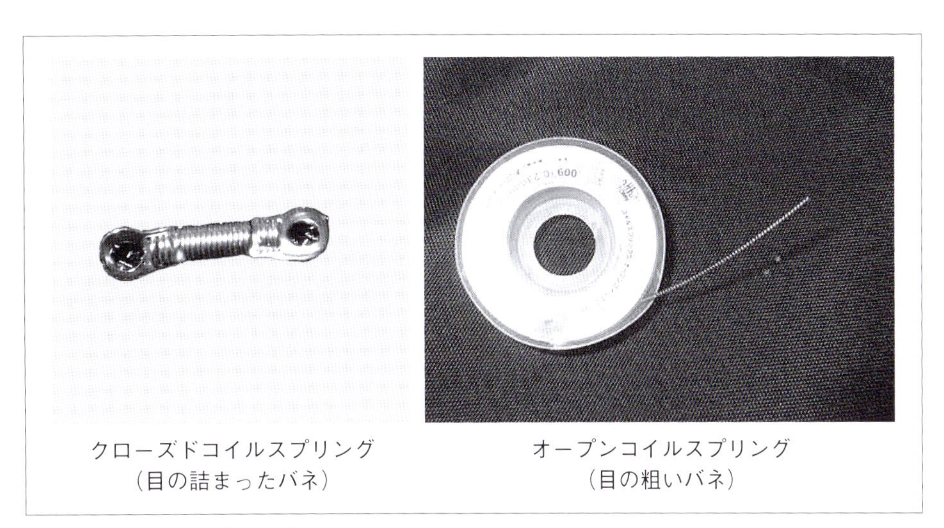

図 14　コイルスプリング

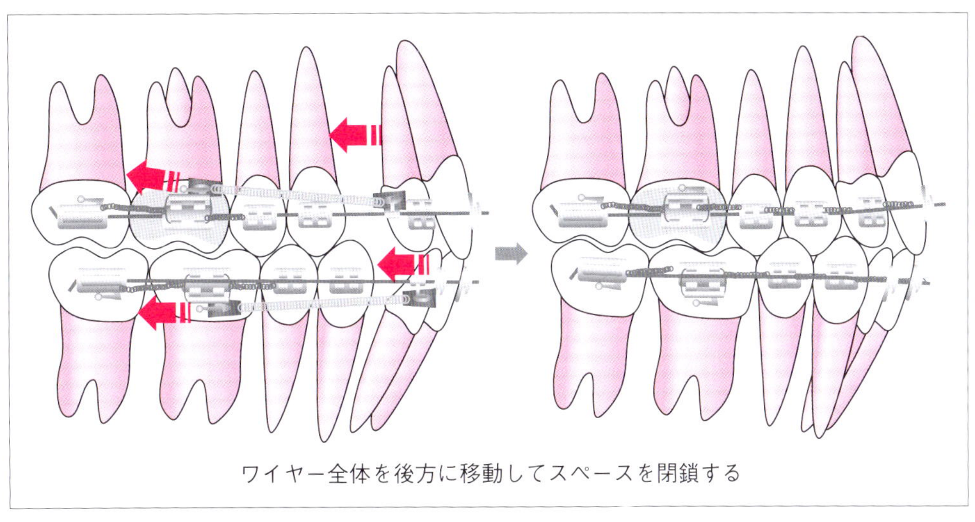

図 15　クローズドコイルスプリングの使用例

部から引き伸ばして犬歯にチェーンをかけると，チェーンが元の形に戻ろうとする力が犬歯を後方に動かす矯正力となります．ただし，材質的に劣化は必ず起きますので，定期的な交換が必要となります．

コイルスプリング

ステンレス製やニッケルチタン合金製，形状記憶合金製のものなどがあります（図 14）．一般的にクローズドコイルスプリングとオープンコイルスプリングという 2 つの種類に分類されます．クローズドコイルスプリングは目の細かいスプリングで，引き伸ばして用い，縮むときの力を矯正力にするものです．一方，オープンコイルスプリングは，目の粗いスプリングで，縮めて使い，元に戻る力を矯正力にします．

図 15 は上顎の前歯を舌側に引き込むときに使用したクローズドコイルスプリングを表しています．主線の前歯部にフックをつけコイルスプリングの一端を連結します．そこから大臼歯のバンドについたフックにコイルの他端を引き

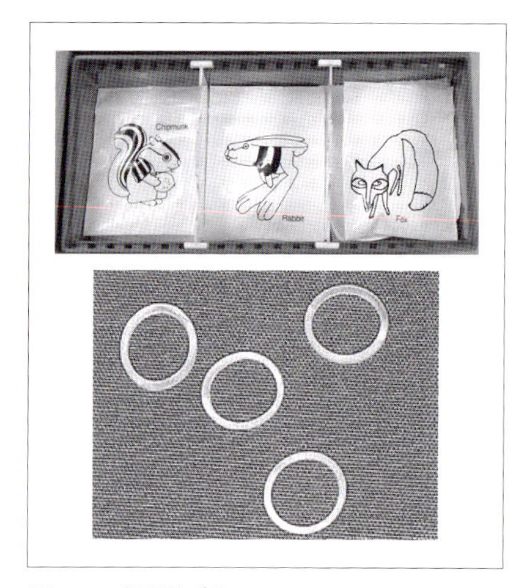

図 16　顎間ゴム

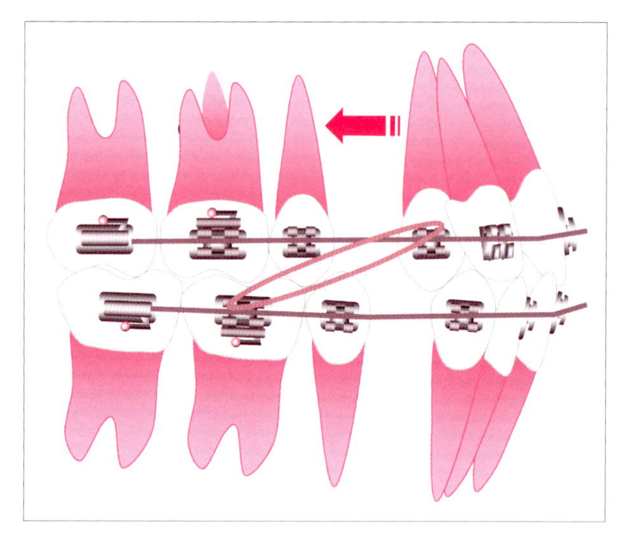

図 17　Ⅱ級ゴム

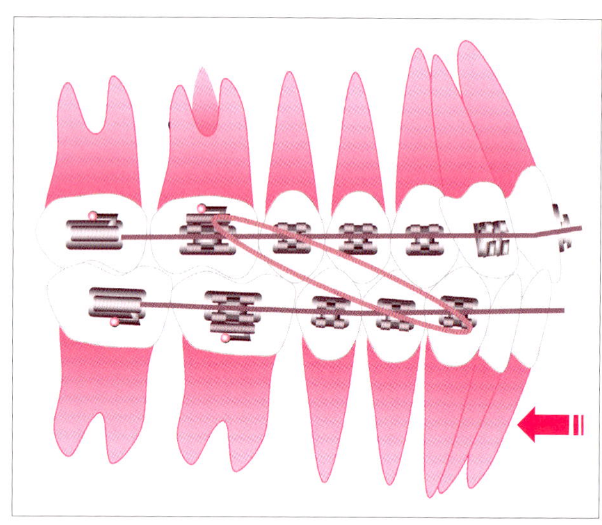

図 18　Ⅲ級ゴム

伸ばして連結します．コイルスプリングが元に戻ろうとするときに矯正力が発生し，前歯 6 本は隙間に向かって引き込まれます．その結果，隙間はなくなり，前歯は奥に引っ込んだ位置に移動するのです．この方法は一般的に出っ歯や受け口の治療に際し，前歯の位置を変化させるときに応用されます．

顎間ゴム（エラスティック）

上顎に装着されたワイヤーと下顎に装着されたワイヤーの間にかけ，歯や顎の位置を誘導する輪ゴムです（図 16）．コイルスプリングと同様に，受け口や出っ歯を治療する際，補助的に用います．用途により数種類あり，ゴムの厚さや直径のサイズが異なります．

出っ歯の治療ではⅡ級ゴムを用います．図 17 のように上顎の前歯から下顎の臼歯に向かって引き伸ばして使うと，ゴムは縮もうとするため，前歯を後ろに引っ込める補助的な力として作用します．図 18 は受け口の治療に用いるⅢ級ゴムです．かけ方はⅡ級ゴムと逆になります．このようにかけると，上顎の臼歯を固定源にして下顎の前歯を後退させる補助的な力が働きます．

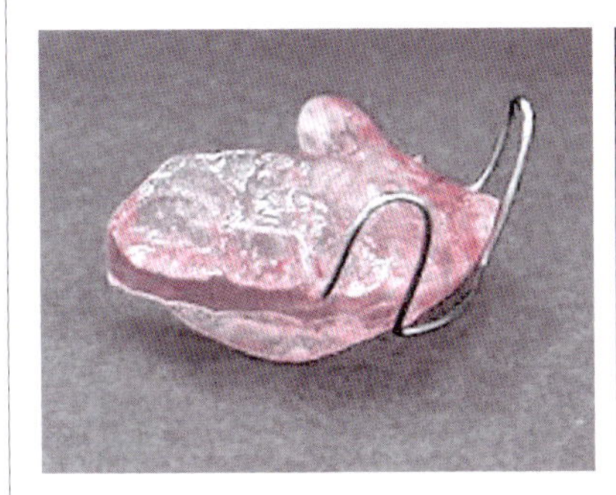
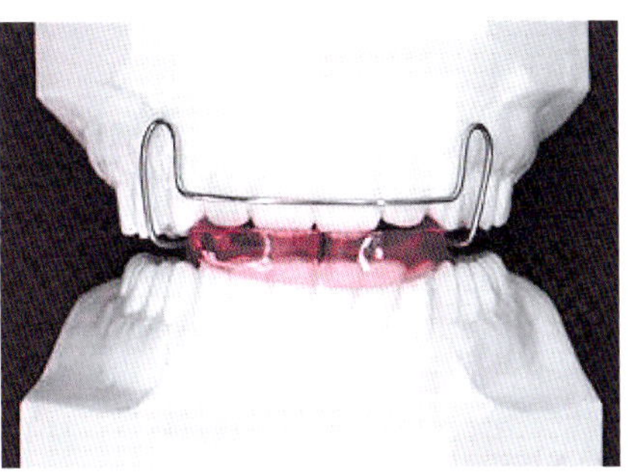

図 19　アクチバトール

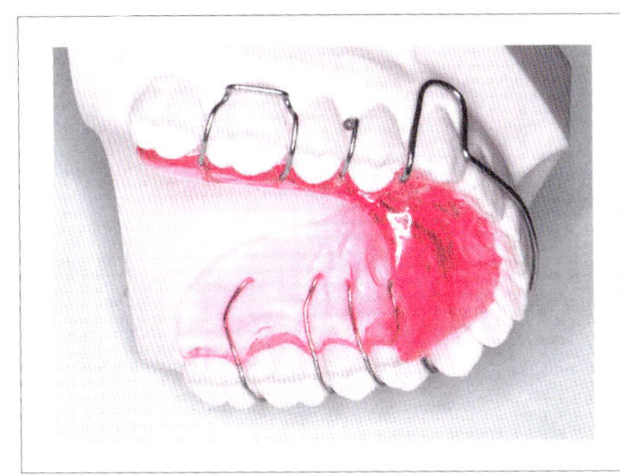
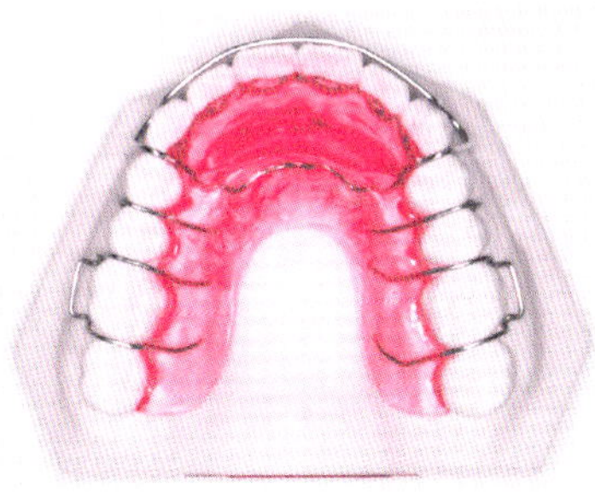
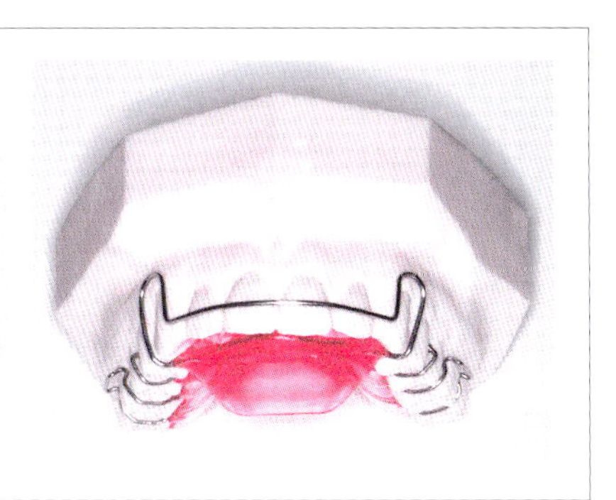

図 20　咬合斜面板

機能的な矯正力のためのツール

アクチバトール

口腔周囲の筋の力を矯正力に変換して，顎の成長を誘導する矯正装置です（図 19）．下顎の成長が悪く，上顎に対して後方に位置するために出っ歯にみえる患者さんに使用します．

術者が下顎を誘導して前に出させてかみ合うようにすることを構成咬合といい，前歯の位置をみかけ上，正しくして装置をつくります．こうしてかみ癖をつけることで下顎の成長は促進され前に出てきますので，上顎と下顎の前後的位置のバランスが改善されます．

アクチバトールは，受け口の場合でも使うことができます．すなわち，下顎を少し後ろに下げた位置で構成咬合をとり，装置をつくります．理想的には24 時間の使用を勧めますが，少なくとも 1 日 14 時間以上装着します．実際に使用するのは大変ですが，これを装着することで，上下顎の位置関係を改善するための矯正力を得ることができます．

咬合斜面板

この装置は下顎が後方に下がり，出っ歯が著しい患者さんに用います．上顎前歯部の口蓋側にアクリル樹脂製の斜面板のついた簡単な装置です（図 20）．この咬合斜面板をつけてかみ合わせてもらうと，斜面を滑って下顎を前方に出

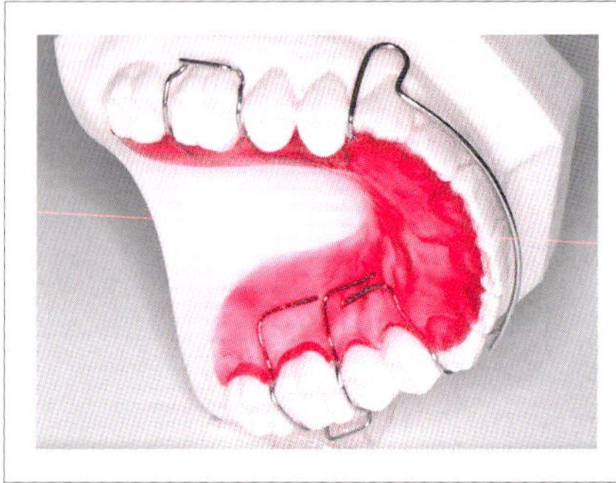
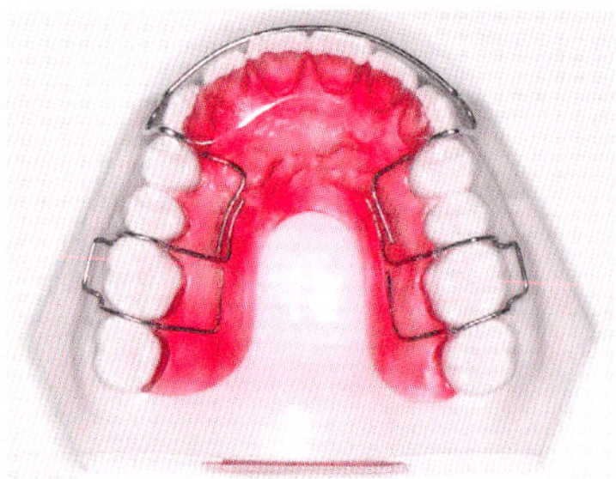
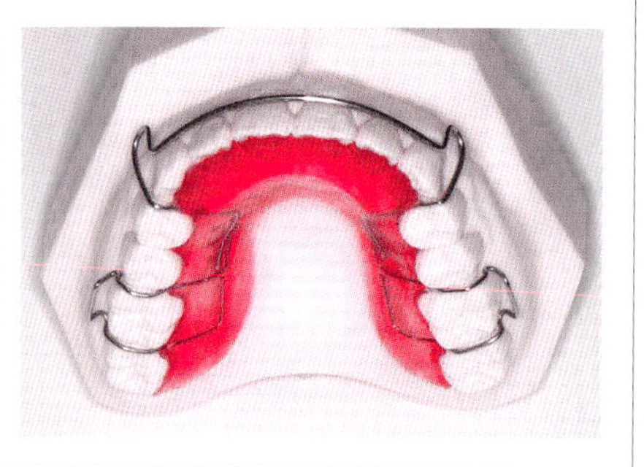

図 21　咬合挙上板

そうとする矯正力がかかるようになります．下顎が斜面を滑って前方に押し出されると，臼歯部に隙間が生じて，上の歯は下へ，下の歯は上へと出てくる（挺出）ことで，かみ合わせの再構成と下顎の成長促進が行われます．

咬合挙上板

かみ合わせの深い患者さんの治療に用います．文字どおり，咬合を挙上することによりかみ合わせを適性にするための装置で，上顎前歯の口蓋側にアクリル樹脂製のプレートがついています（図 21）．これを装着すると下顎前歯が咬合挙上板に当たるため大臼歯に空隙ができ，徐々に挺出していきます．また，下顎前歯は圧下していきます．したがって，咬合挙上板を用いることで，顎の位置，あるいは歯の位置を生理的な力に近い状態で動かすことができるわけです．非常に簡単な割には効果の出やすい装置であるといえますが，逆に装着しないとまったく意味のない装置でもあり，患者さんの協力が非常に重要な役割を果たします．

保　定

歯を移動させたら，今度はその動きを止め，正しい位置を長期間にわたって保持することが大切です．正しい位置に動かした歯の歯周組織が安定するまで維持，管理することを保定といいます．またそのために用いる装置を保定装置（リテーナー）といいます．

後戻り

矯正歯科治療が終了して一番心配されるのは，後戻りあるいは再発といわれるものです．歯は矯正装置を外した途端に治療前の状態に戻ろうとします．残念ですが後戻りはある程度覚悟して治療を行わなければなりません．

後戻りの原因はいくつかありますが，不正咬合の原因を十分に除去できなかった場合，保定方法が不適切であった場合，保定期間が不十分であった場合，咬合調整が不十分であった場合，保定装置に対する患者さんの協力が得られなかった場合などが考えられます．「歯並びコーディネーター」を目指す皆さんは，歯を移動させることよりも，移動後の状態に歯を留めておくことがいかに難しいかということ，保定装置を使わなければ後戻りするということを，患者さんに十分に理解していただき，保定装置に対する協力性を向上させていただきたいと思います．

保定の種類

保定は，①自然的保定，②器械的保定，③永久保定の 3 つに大別されます．

①自然的保定

自然的保定は，調和のとれた口腔周囲筋，正しい咬合，健全な歯周組織などの生理的な力によって，改善された咬合状態を維持することをいいます．

矯正歯科治療に続いて保定装置による器械的保定が終了し，最終的にこの自然的保定が得られることが重要です．

②器械的保定

自然的保定の条件が十分に得られない，つまり矯正装置を撤去した状態のままでは後戻りや再発が懸念される場合，保定装置を入れて自然的保定の条件が得られるまで保持します．これを器械的保定といいます．残念ながら，こうした器械的保定なしでは，自然的保定が得られにくいというのが実状です．

③永久保定

永久保定は，矯正歯科治療後，長期にわたり保定装置を使用したにもかかわらず後戻りが生じる可能性がある場合に，補綴装置（連続インレー，ブリッジなど）を半ば永久的に使用することを指します．歯周組織の状態が悪い症例や，成人の矯正歯科治療後などによく適応されます．

保定装置

保定装置は，①可撤式保定装置，②固定式保定装置，③半固定式保定装置に分類されます．

①可撤式保定装置

「可撤」とは，取り外しができる，という意味です．可撤式保定装置には，目的や治療箇所によっていろいろなタイプがあります．

ホーレータイプリテーナー（図 22）は，前歯部および臼歯部にかけるワイヤーがついており，舌側がレジン製のプレートになっています．唇側のワイヤーと舌側のプレートで正しく並べた歯を挟み込み，動きを抑えます．

ラップアラウンドリテーナー（図 23）は，ワイヤーが唇側の歯列全体を囲み，舌側がレジン製のプレートになっています．全体的に歯を唇側と舌側から挟み，周りの骨がしっかりと固まるのを待ちます．下顎用は舌がありますので，少し小さくなっています．

ソフトリテーナー（図 24），トゥースポジショナー（図 25）は，ポリウレタン樹脂やシリコーンゴムでできたマウスピースのような装置で，若干の後戻

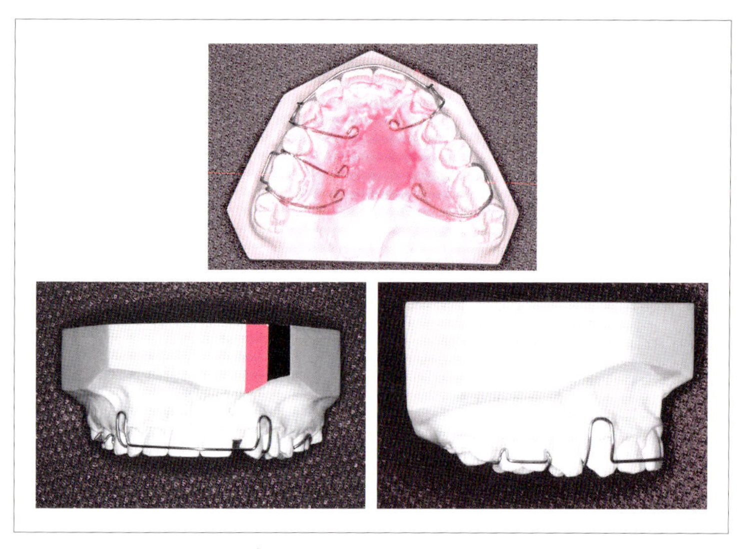

図 22　ホーレータイプリテーナー

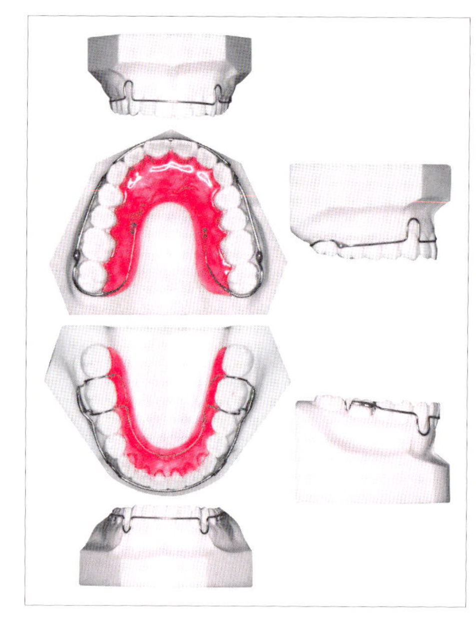

図 23　ラップアラウンドリテーナー

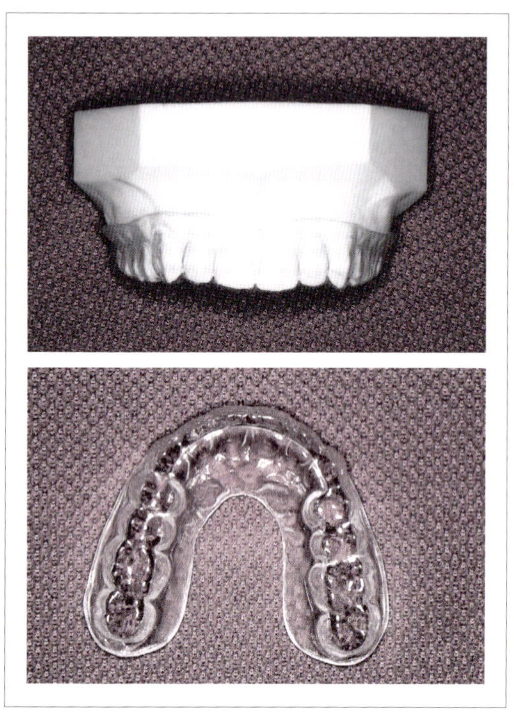

図 24　ソフトリテーナー

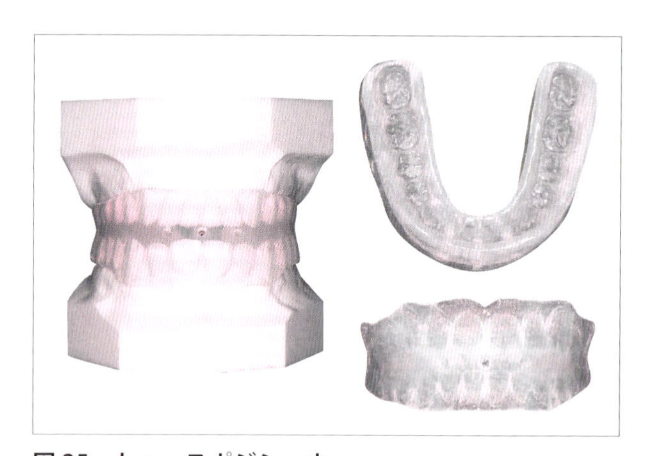

図 25　トゥースポジショナー

りを改善することが可能です．

アクチバトールやバイオネーター（図 26）は，前述したように上下の骨の位置や大きさのバランスを整え，出っ歯や受け口を改善するための装置です．顎の成長を誘導して位置を変化させた後，継続使用して保定装置とすることができます．

②固定式保定装置

取り外しができない保定装置です．犬歯-犬歯間保定装置には，バンドで舌側から抑えるバンドタイプ（図 27）と，直接歯面に貼りつけて保定するボン

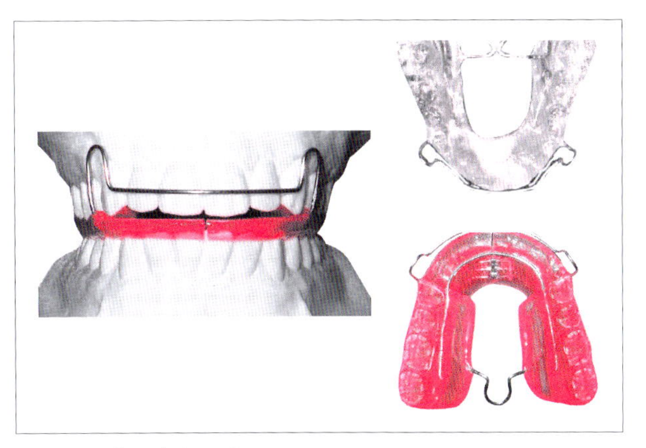

図 26　バイオネーター

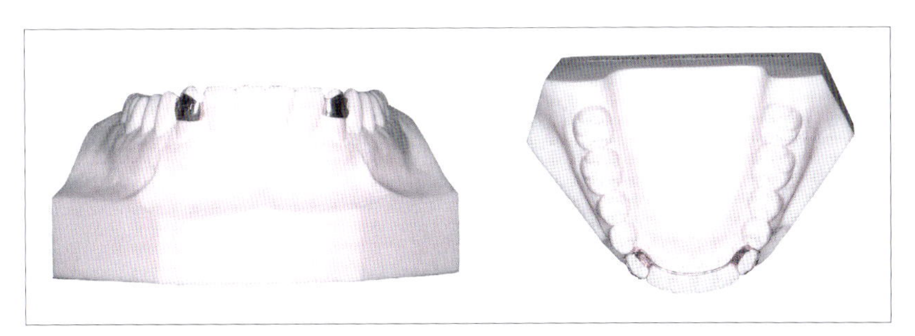

図 27　犬歯-犬歯間保定装置（バンドタイプ）

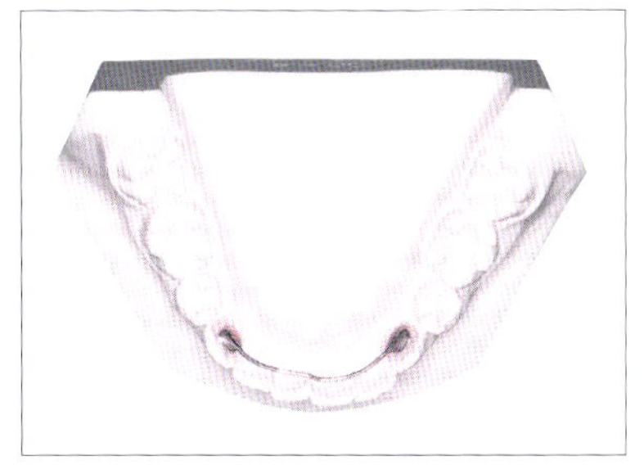

図 28　犬歯-犬歯間保定装置（ボンディングタイプ）

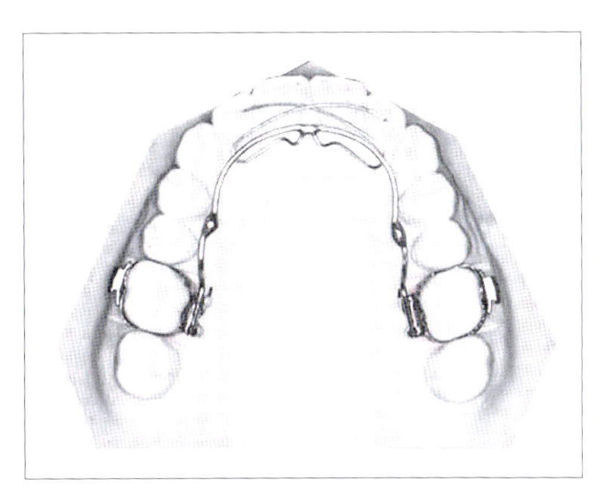

図 29　半固定式保定装置

術者は外せるが患者さんは外せない装置（舌側弧線装置など）

ディングタイプ（図 28）があります．

その他，バンドおよびスパーによる保定，先に述べた永久的に使用するブリッジおよび連続インレーによる保定装置もこの範疇に入ります．

③半固定式保定装置

舌側弧線装置（リンガルアーチ）がこれに相当します（図 29）．患者さんには外せませんが術者が外せるということで，固定式と可撤式の中間に位置し，半固定式保定装置として分類されます．

表 2　保定期間の目安

症　例	期　間
●上顎切歯の舌側転位など	数日
●萌出期間中に移動した歯	数カ月
●歯槽骨が発育完了後に移動した歯	2 年以上
●回転歯	長期

表 3　さまざまな再発防止策

症　例	適応する対策
捻転歯，転位歯	長期保定
過蓋咬合，開咬（顎や歯に垂直的に問題がある場合）	オーバーコレクション
捻転歯の周囲の歯槽頂線維切断	環状靱帯切除（セプトトミー）
補綴処置による保定	永久保定
余裕のある顎幅径，歯軸傾斜	外科矯正
弄舌癖，咬唇癖	不良習慣の除去
口腔周囲筋の不良	MFT
咬合の微調整	咬合調整

保定期間と再発防止策

保定期間を一律に決定するのは難しく，患者さんの年齢や不正咬合の種類，あるいは原因，治療期間などによっても異なり，答えはひとつではありません．表 2 に一般的な保定期間の目安を示しましたが，あくまでも参考としてお考えください．高齢になるほど保定期間が長い，咬唇癖や舌癖など悪習癖を有する患者さんでは保定が難しいというような理解が大切です．

表 3 に再発防止策についてまとめました．患者さんの条件に応じてどの対策を採用するのか，よく検討します．

お わ り に

本章でぜひ覚えていただきたい要点は，「どうして歯が動くのか」および「保定の重要性」の 2 点です．「歯は一生動く」ということを患者さんにしっかり説明していただき，治療期間の長い矯正歯科治療を成功させるためのモチベーションを高め，維持していただくことが，「歯並びコーディネーター」の重要な役割です．治療中の患者さんの不安や悩みについて的確に答えられるように，さまざまな角度から見識を深めてください．

第8章　矯正歯科治療において知っておくべきポイント

相澤　一郎

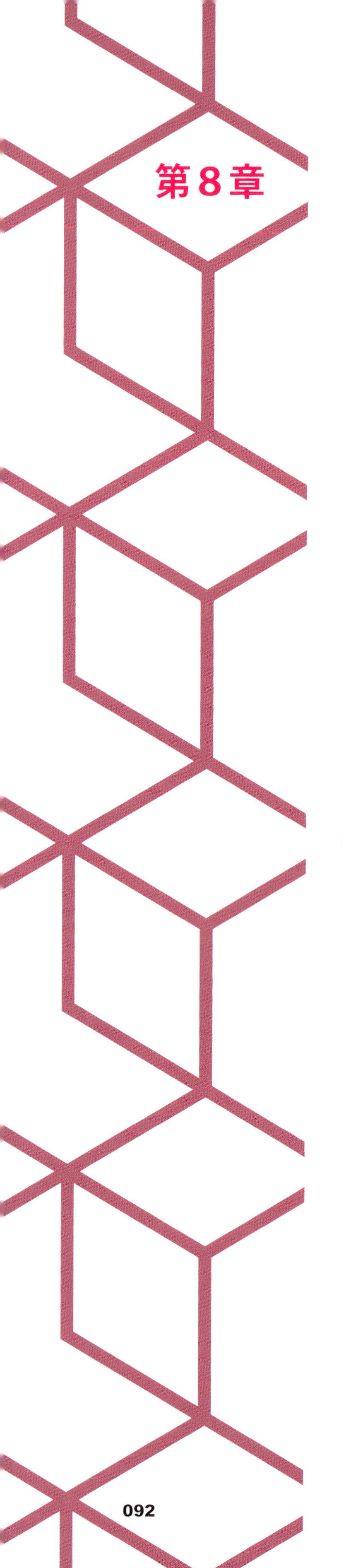

第8章

矯正歯科治療において 知っておくべきポイント

はじめに

本章では，矯正歯科治療で改善できる歯並び，かみ合わせの不正について，症例に基づいて具体的に解説していきます．また，矯正歯科治療中の偶発事項への対応の仕方，治療期間などについても触れていきます．

矯正歯科治療におけるアプローチの方法

歯および歯列は上顎骨，下顎骨を土台として配列されています．しかし，歯並び，かみ合わせの異常（不正）を有する患者は，上下顎骨の大きさや，前後的・側方的（水平的）・垂直的位置の異常を伴っていることが少なくありません．

歯列弓の土台である上下顎の前後的位置関係から骨格型を分類すると，I級，II級，III級に分類されます（図1）．

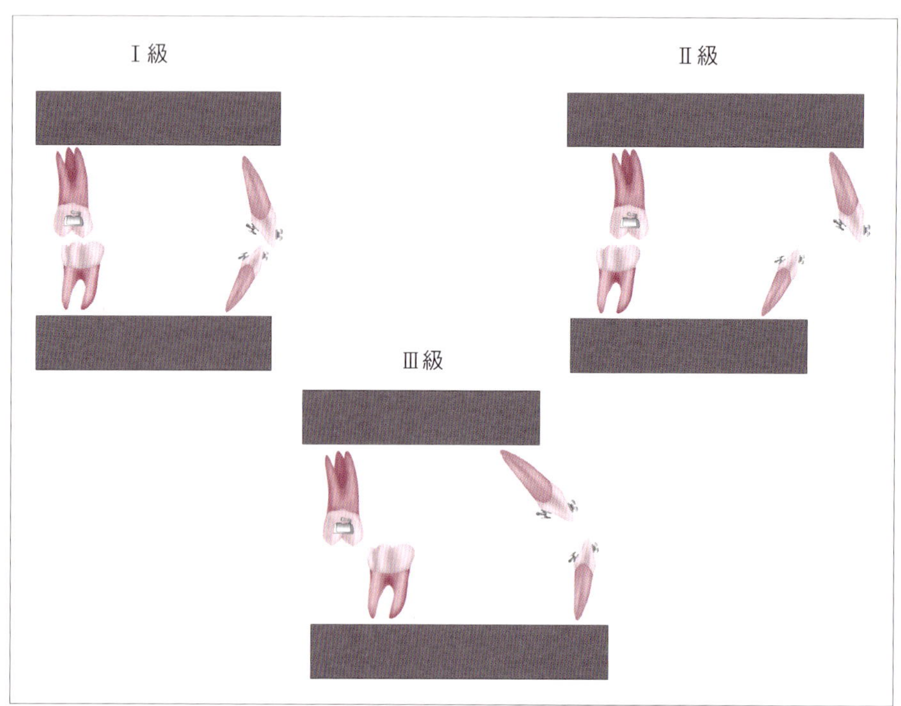

図1　骨格型の分類

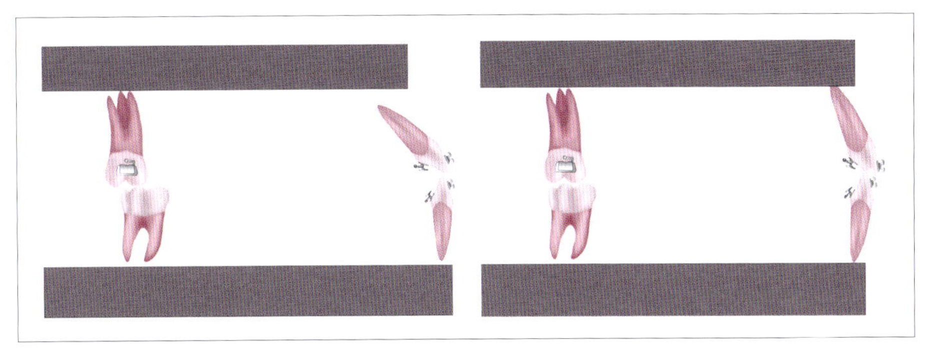

図 2　矯正歯科治療のみの治療結果（左）と外科的矯正治療での治療結果（右）の模式

Ⅰ級：上下顎の大きさ，位置の問題がなく，上下顎の前後的関係が良好で臼歯関係も良好．

Ⅱ級：上下顎の前後的関係に異常が見られ，上顎骨が相対的に前方に位置し，上顎臼歯が近心に，上顎前歯が前方に位置している．→出っ歯

Ⅲ級：上下顎の前後的関係に異常が見られ，下顎骨が相対的に前方に位置し，下顎臼歯が近心に，下顎前歯が前方に位置している．→受け口

Ⅱ級，Ⅲ級は骨格的に異常のある状態であり，異常の程度によっては，歯の移動だけで機能的にも審美的にも良好な咬合を獲得することが困難な症例があります．そのような症例では，頭蓋に対して適正な位置に，そして上下顎骨間のバランスのとれる位置に顎骨を移動させるための外科治療を必要とします．このような治療方法を「外科的矯正治療」といいます．

矯正歯科治療のみの場合と，外科的矯正治療を行う場合の治療ゴールの違い

骨格性反対咬合の症例で，矯正歯科治療のみで治療を行う場合と，外科的矯正治療を併用する場合の治療結果を図 2 に示します．患者さんが外科治療を望まない，あるいは，望ましい（好ましい）歯の位置，歯軸傾斜とは異なるが機能的改善が図れる場合には，外科的矯正治療の適応症例であっても矯正歯科治療のみで治療を行うことがあります．しかし，そのような場合には，図 2 のように治療ゴールに違いがあることを治療開始前に患者さんに十分説明し，納得してもらう（インフォームドコンセント）必要があります．

矯正歯科治療のみによる症例

図 3 は初診時 34 歳の男性です．顔貌所見では，下顎が右方に大きく偏位しています（図 3- ①）．口腔内所見は，前歯部は逆被蓋で，上下顎歯列の正中は下顎が右方に偏位し，右側臼歯部に交叉咬合が見られ，咬合平面も右上がりに傾斜しています（図 3- ②）．正面頭部エックス線規格写真所見でも，下顎骨オトガイの右方への偏位，咬合平面の右上がりが見られます（図 3- ③）．また，側面頭部エックス線規格写真分析から上下顎の位置・大きさにも骨格性の不調和が認められます（図 3- ④）．

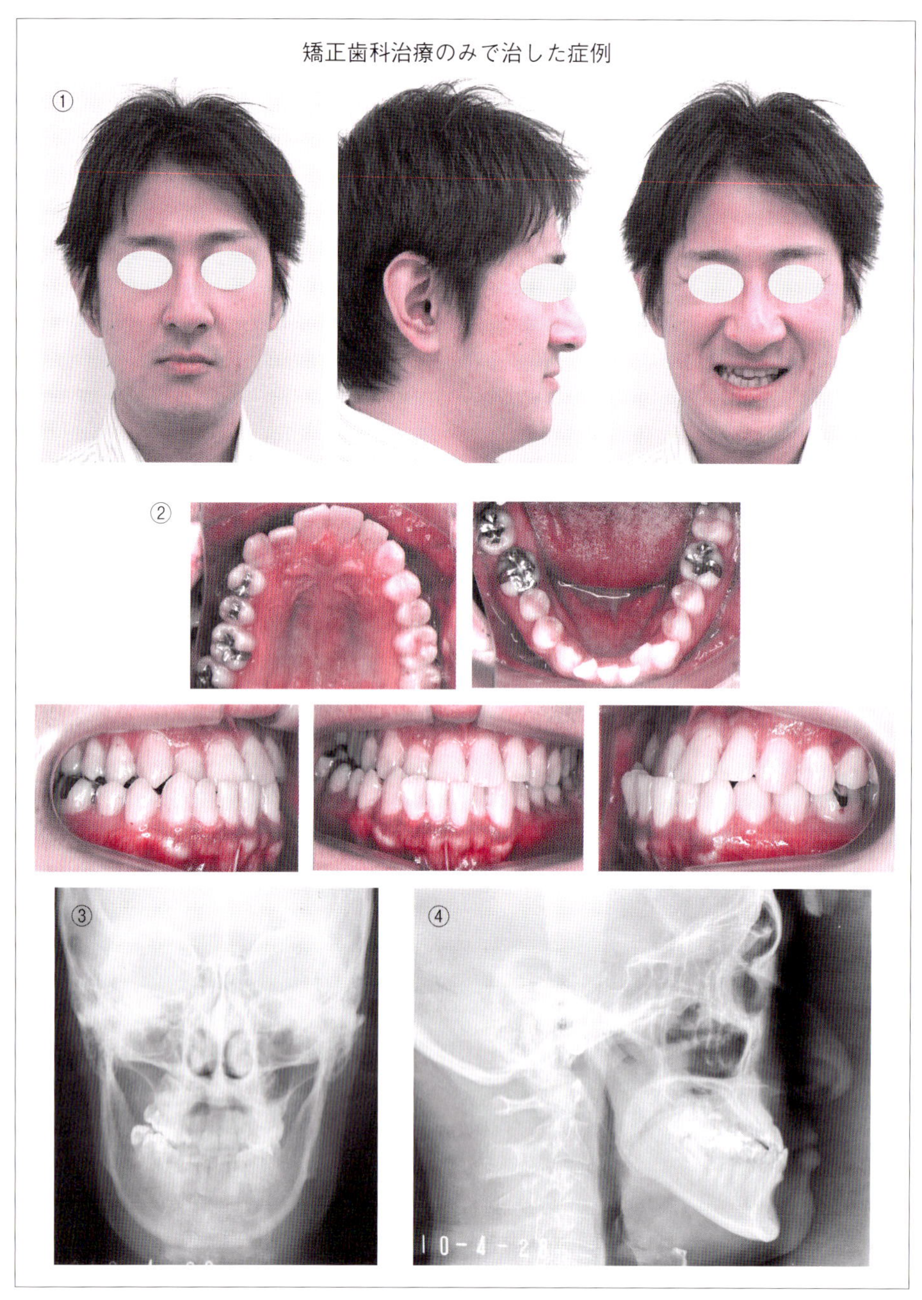

図 3　初診時の状態

治療計画では外科的矯正治療を第一選択と考えましたが，患者さんが「手術はしたくない」と強く希望したため，矯正歯科治療のみで行う方法を立案しました．矯正歯科治療に先立つ診断，治療計画の説明時に，矯正歯科治療のみで行う場合と，外科的矯正治療を行う場合の治療ゴールの違いを十分説明し，理解していただきました．

治療は下顎左右側第一小臼歯を抜歯して行いました．なお，右上がりの咬合平面を改善するために，歯科矯正用アンカースクリューを用いたフォースシステムを併用しました（図 4）．

動的治療終了時，顔面写真では下顎の右方への偏位は治療開始前と変化がありません（図 5-①）．口腔内写真では交叉咬合が改善されましたが，上下顎

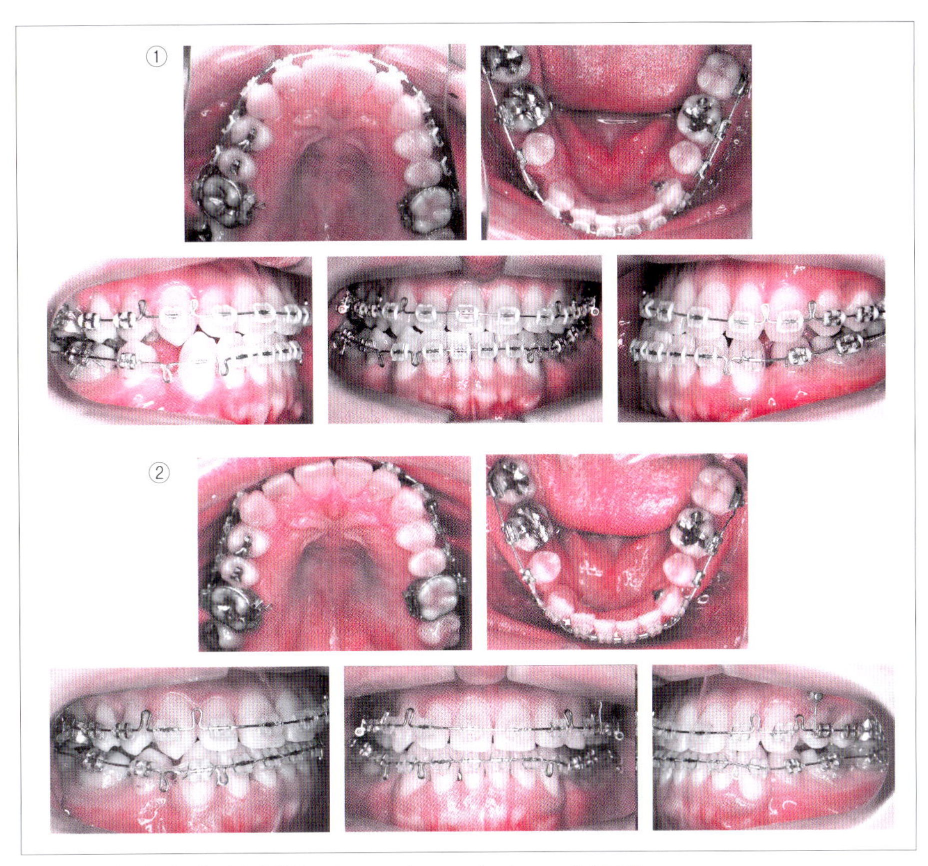

図４　動的治療時（歯科矯正用アンカースクリューを使用）

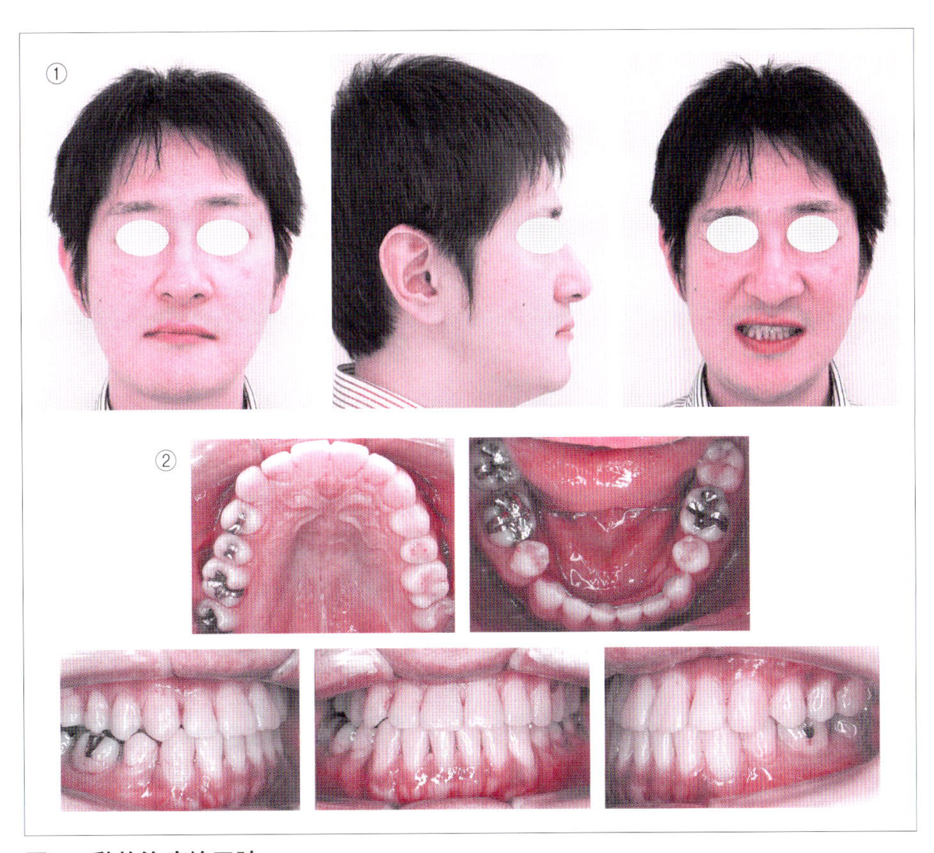

図５　動的治療終了時

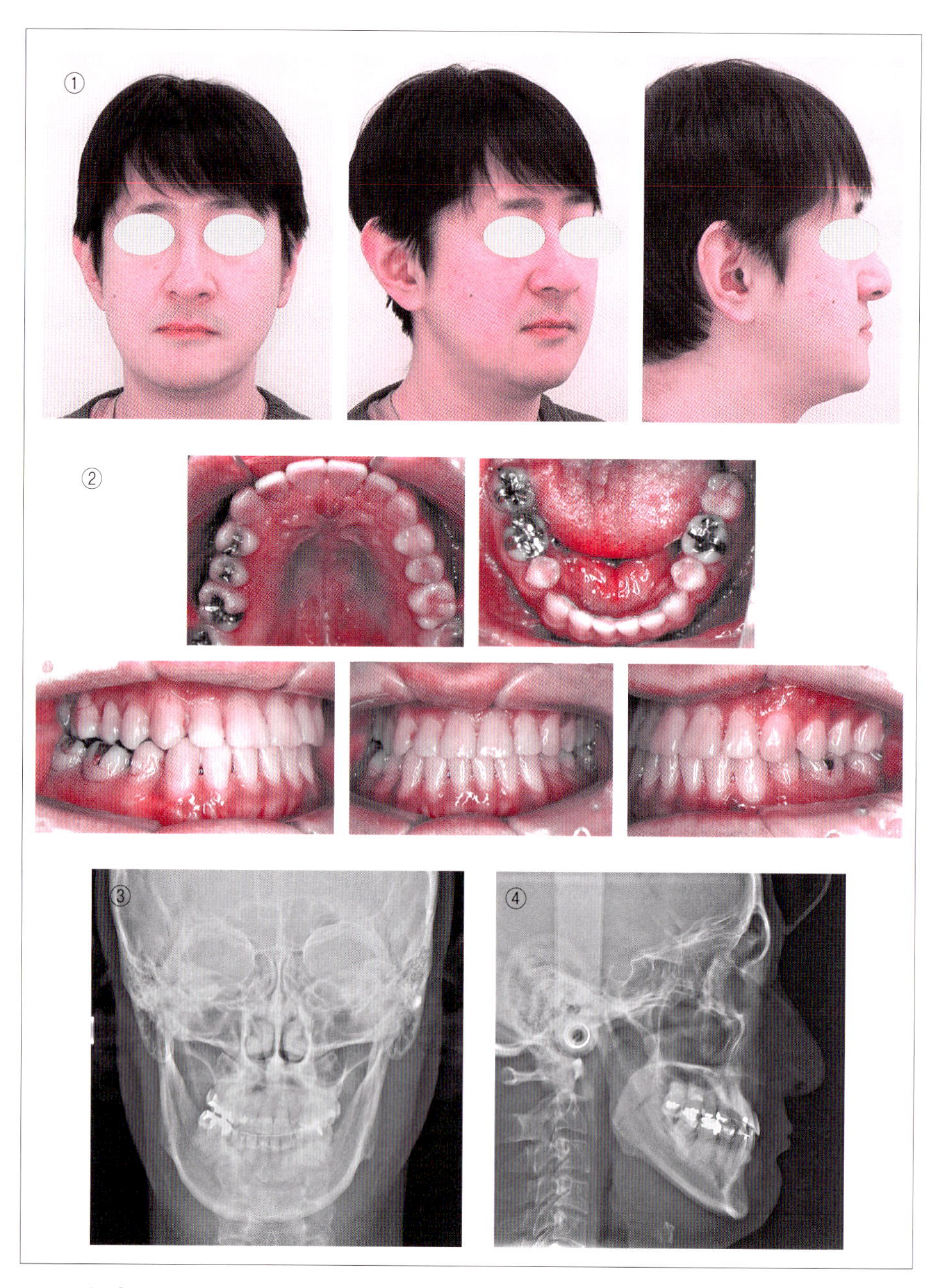

図6　保定5年目

歯列の正中のずれはわずかに残っています（図5-②）．しかし，患者さんは非常に満足しています．治療期間は3年10か月でした．

図6は，保定5年目の顔貌，歯列咬合状態，正面・側面頭部エックス線規格写真です．大きな後戻りもなく，歯並び，かみ合わせは安定しています．

補綴処置を伴った症例

成人の患者さんでは初診時から欠損を伴っていたり，補綴やインプラントの埋入が行われていることがあります．このような口腔内環境であっても矯正歯科治療は可能ですが，毎回の来院時には注意を要します．たとえば，補綴物へのブラケット装着は専用のプライマーなどを用いてダイレクトボンディング

図 7　サンドブラスター

図 8　プライマー

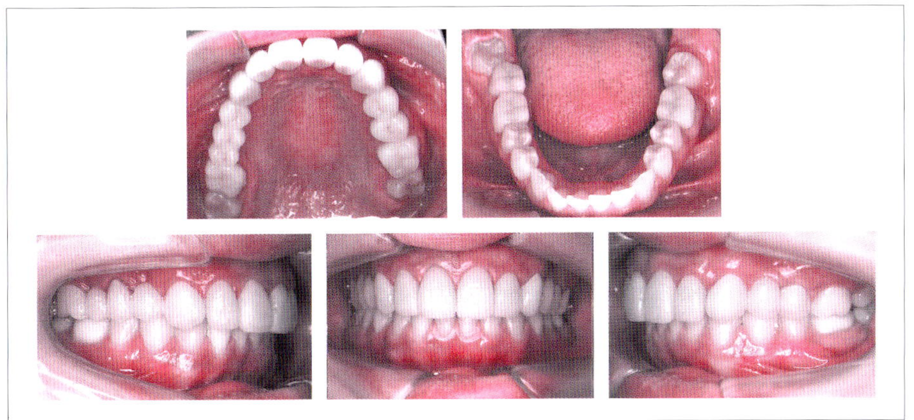

図 9　初診時の状態

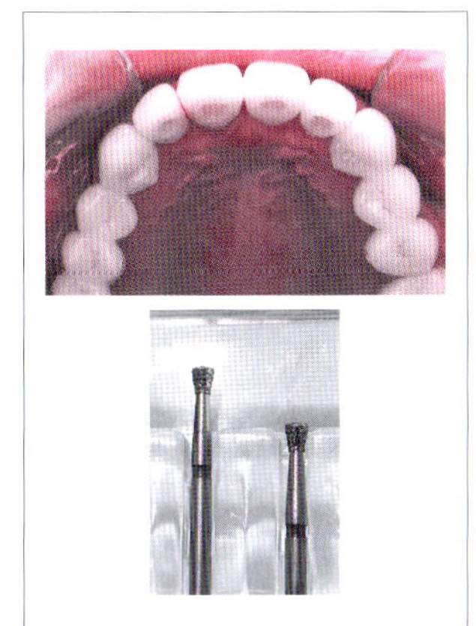

図 10　補綴物への処置

ダイヤモンドバーでブラケット接着面にホールを形成し，レジンを充填します．

（DBS）を行いますが，エナメル質に比べて脱離率は高まります．このことを事前に患者さんへ説明をしておくことが大切です．矯正歯科治療初期に脱離が頻発すると長期にわたる治療期間に不安を与えてしまう場合もあります．矯正歯科治療後に補綴物の再製作を行う場合は，補綴物にホール（アンダーカット）を設けてそこにレジンを充填しブラケットを装着することもあります．歯面にサンドブラスト処理を行い，プライマーを用いて接着する場合もあります（図 7，8）．

図 9 は上顎 12 歯に補綴治療がされていた患者さんで，リンガルブラケット矯正を希望されました．リンガルブラケット矯正の場合は審美的にバンドを装着することができないため，接着面にホールを形成し，レジンを充填してからブラケットを装着しました（図 10）．口腔内環境によっては仮の歯に置き換える場合もあります．

治療中の偶発事項

治療中に，ワイヤーの破折や接触による痛みを生じることがあります．そうした偶発的な事項について解説します．

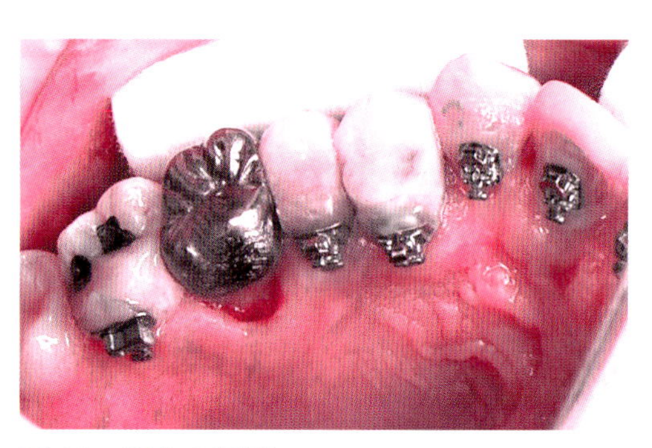

図 11　歯肉の退縮

上顎大臼歯のメタルクラウンに装着していたブラケットが脱離し，しばらく来院できなかったときの写真．脱離したブラケットと歯肉の間に食片が入り込み，歯肉が退縮しています．

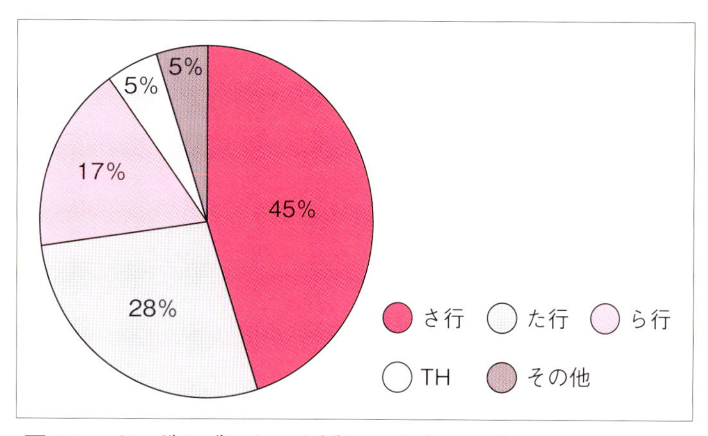

図 12　リンガルブラケット矯正で発音しにくい音

ブラケットの脱離

マルチブラケット法では，ワイヤーとブラケットの存在は必須であり，ブラケットが歯から脱離すると歯の動きが生じなくなります．ブラケットは動的治療終了時に外せる程度の接着力であるため，矯正歯科治療中に硬い物を食べないように説明する必要があります．かみ合わせの強い（ディープバイト）場合は，咬合挙上などの処置が必要になる場合もあります．

脱離を減らすには，正しいブラケット装着の手技も必要になります．脱離した場合には，患者さんにできるだけ早く来院してもらいリカバリーすることが大切です．脱離したまま長期に放置すると，ワイヤーの破折や歯肉の退縮など二次的なトラブルが発生することもあります（図 11）．

ブラケットの粘膜・舌への接触

ブラケットは角があったりフックがついていたりするため，装着初期には粘膜・舌と接触して違和感を誘発します．特に，リンガルブラケット矯正の場合，下顎に装着したときに舌への違和感を訴えることが多いです．次第に軽減していくので 3 日～ 2 週間程度で慣れてくることを患者さんに事前に説明しておくことが大切です．

発音障害

発音障害に関しては，リンガルアーチ，クワドヘリックス，トランスパラタルアーチなど歯列の内側に装着される装置の場合に違和感を覚えやすくなります．特に，リンガルブラケット矯正の場合，上顎に装着されると発音に影響が出やすいことがわかっており，音として「さ行」「た行」「ら行」が装着初期に発音しにくいとの集計が出ています（図 12）．

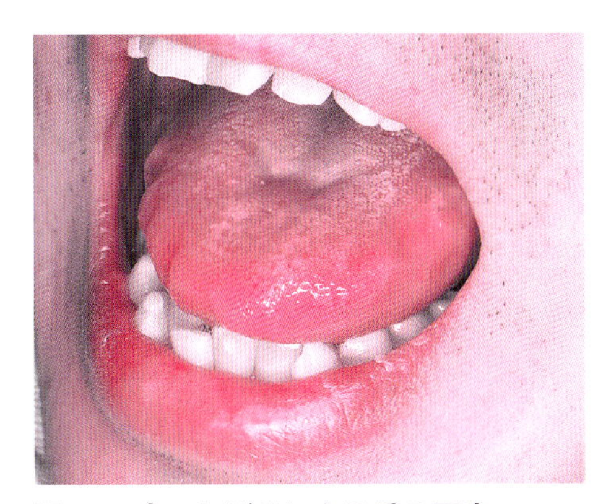

図 13　食いしばりによる舌の圧痕

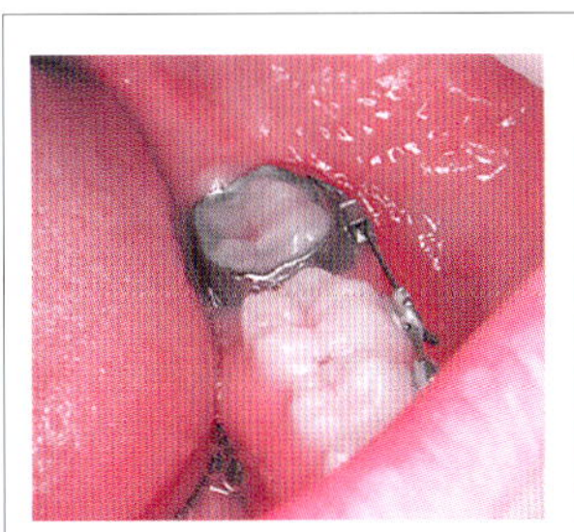

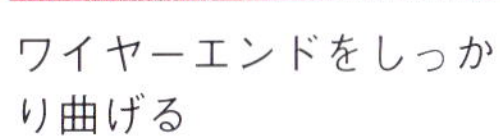

ワイヤーエンドをしっかり曲げる

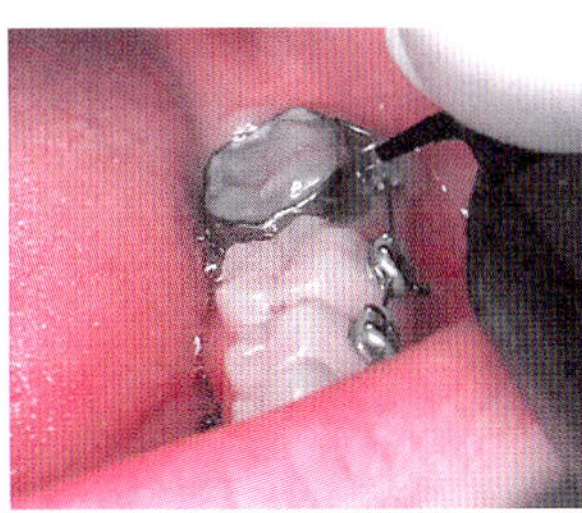

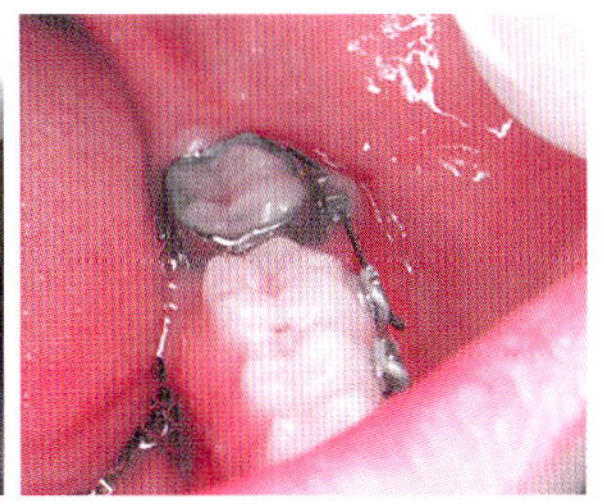

軟性レジンで装置をカバー

図 14　ワイヤーエンドの処理

口内炎

口内炎は機械的な刺激（ブラケットが粘膜に触れるなど）だけが原因ではなく，患者さんの習癖も影響することがあります．頬粘膜内側に口内炎が頻発する場合は，口腔周囲筋の緊張が強かったり，口呼吸により口腔内が乾燥していることも多いと思われます．舌側装置に誘発される口内炎なども舌位や舌癖，食いしばりなどが影響していることがあります．食いしばる癖があると舌を歯に押しつけていることが多いです（図 13）．そのような環境でリンガルブラケット装置が装着されると，違和感も強く舌にも痛みを覚えます．MFT を行うことで軽減することもあります．

通常は 1 週間程度で消失していきますが，長期に消失しない場合は口腔粘膜疾患の疑いとして口腔外科の受診を勧めることもあります．

頬粘膜の擦過傷

最後臼歯に装着されたチューブが粘膜に当たったり，末端のワイヤー処理が不十分なため頬粘膜に擦過傷をつくることもあります．この場合はワイヤーエンドをしっかりと曲げ込んだり，歯の動きを阻害しないように軟性レジンなどでカバーしておくと違和感が軽減されます（図 14）．

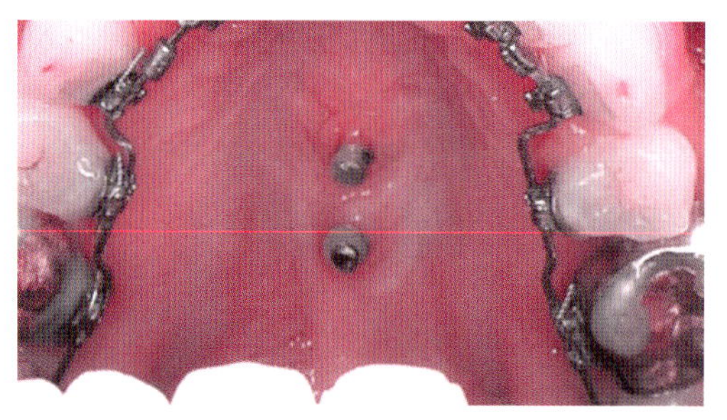

図 15　歯科矯正用アンカースクリューによる歯肉の腫脹

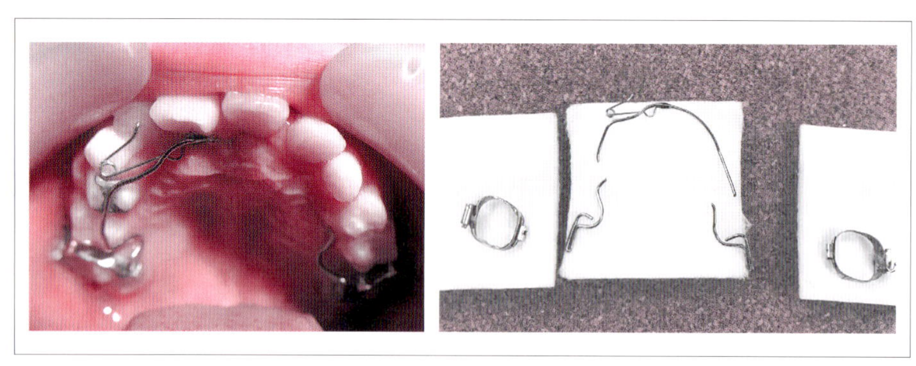

図 16　リンガルアーチの埋入

リンガルアーチを分割してパーツごと抜いて外していきます.

ワイヤーの破折

ワイヤーは矯正歯科治療のステージに応じて太さ，硬さ，材質を変えていきますが，治療中に破折することもあります．折れた末端が舌に接すると患者さんは痛みを訴えて来院しますが，ブラケットの境目で折れている場合は患者さんも気づかず，歯の位置がずれてしまう場合があります．食いしばりがある患者さんはワイヤーの破折が生じやすいので注意が必要です．

歯科矯正用アンカースクリューによる歯肉の腫脹，アンカースクリューの脱落

歯科矯正用アンカースクリューは粘膜上に一部が露出しているため食物残渣が停滞し歯肉の炎症を誘発することがあります（図 15）．また，スクリューが緩んで脱落することもあります．使用時には患者さんに，①スクリューの清掃について，②スクリューの脱離について，③スクリュー部位に違和感を覚えた場合について，④スクリューの材質，使用目的，⑤スクリューの撤去についてなどの説明が必要です．

装置の粘膜への埋入

リンガルアーチを装着した場合，前歯舌側の部分が粘膜に埋入することがあります．このまま外すと痛みが強いので，粘膜を切開することなくリンガルアーチを分割してパーツごと抜いて外していきます（図 16）．

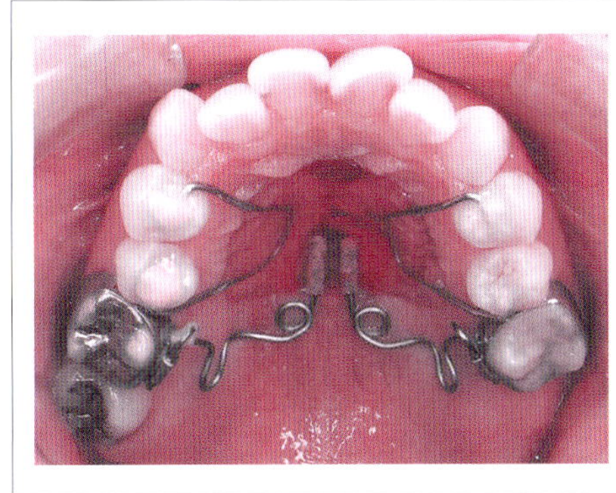
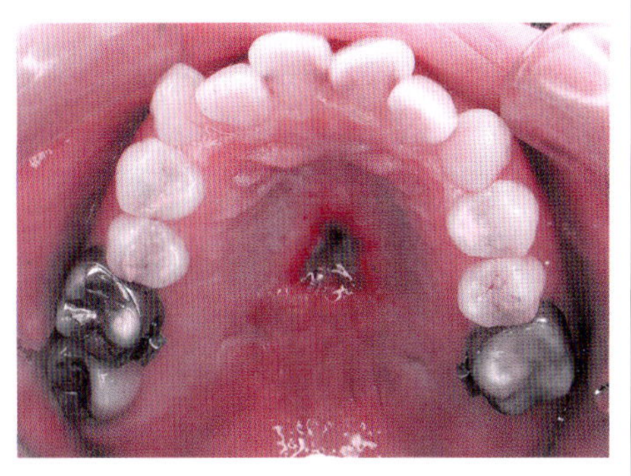

図 17　ペンデュラム装置による口蓋粘膜の疼痛

レジン床の圧迫による口蓋粘膜の疼痛

ペンデュラム装置などを使用する場合，装着の位置や接着のエラーでレジン床が口蓋粘膜に強く当たり疼痛を引き起こすことがあります（図 17）．このような場合は一度装置を外し，傷が癒えてから再度正確な位置に装着していきます．装着時には，装着感や発音についての状況を確認することがトラブル回避につながります．

治療期間

治療期間は患者さんによってさまざまです．不正咬合の状態はそれぞれ違いますし，歯の大きさや顎骨の位置・形態も異なります．画一化した治療方針はありません．その患者さんに適した治療計画の立案が必要になります．患者さんの年齢や協力度によっても治療期間は変わりますし，抜歯・非抜歯の判断も症例に応じて変わっていきます．最初に立案した治療計画が歯周疾患の罹患などにより変更になりうることを事前に説明しておくことが大切です．

また，動的期間の後には保定期間が必要です．この保定期間の終了をもって矯正歯科治療が終了となるので保定の重要性もしっかりと説明しておく必要があります．

スタッフが聞かれることもありますので，治療期間についてはスタッフ間で情報を共有しておくとよいでしょう．

抜歯の有無

歯を抜いて治療をするか，非抜歯で治療をするかは難しい問題です．先にも述べたように画一化した治療方針はありませんので，患者さん一人ひとりにあった治療計画をつくっていきますが，抜歯，非抜歯については，何を基準に決めていくかということが重要です．混合歯列の場合と永久歯列の場合とでも状況が異なります．

矯正歯科治療を考えるなかで，術者はできるだけ歯を抜かないで済むように計画を立てると思いますが，口元が大きく突出していたり，歯並びの凸凹（叢生）が強かったり，上下顎歯列の位置や歯の大きさに不調和がある場合は抜歯の可能性が高くなります．昨今，歯科矯正用アンカースクリューの開発などにより非抜歯率は高くなってきましたが，機能的で審美的な状態が得られない場合には抜歯が必要になると考えています．矯正歯科治療はきれいに歯を並べるだけでなく，かめる・飲み込む・発音するといった機能面の改善が主たる目的になります．機能的な歯並びを獲得していくと，おのずと見た目も改善されていきます．

インフォームドコンセント

治療計画の立案時に，非抜歯でも口腔機能を損なわずに長期安定的な結果が得られると診断した場合は，患者さんの希望をとり入れながら非抜歯治療を行うこともあります．その場合も患者さんの了解を得て，そのことをカルテに書き留めておくことが大切です．また承諾書をつくって治療を進めていく必要があります．承諾書はインフォームドコンセントの証拠になりますので，必ず患者さんのサインをいただかなければなりません．これを怠ると後にトラブルになったときに対処が大変です．

たとえば，治療中に「こういう理由で期間が延びてしまいましたが，こういうことでよろしいですか」と患者さんに尋ね，患者さんが「いいですよ」と承諾したら，「患者了解」とカルテに記載し，そしてそこに患者さんのサインをいただくということが大切になります．

E-ライン

美しい口元についてのひとつの見方としてE-ラインがあります（図18）．鼻尖とオトガイを一直線で結ぶことができるかどうかが判断基準となります．こうしたイラストを患者さんにみせて実際に鉛筆などを当ててもらい，唇がつくかつかないかを自分で確かめてもらいます．唇がつかない場合，E-ラインは良好であるということになります．上顎前突（出っ歯）の場合では，鉛筆に当たってしまいます．E-ラインは，患者さんに対して側貌の見方を説明するのに非常に有用です．

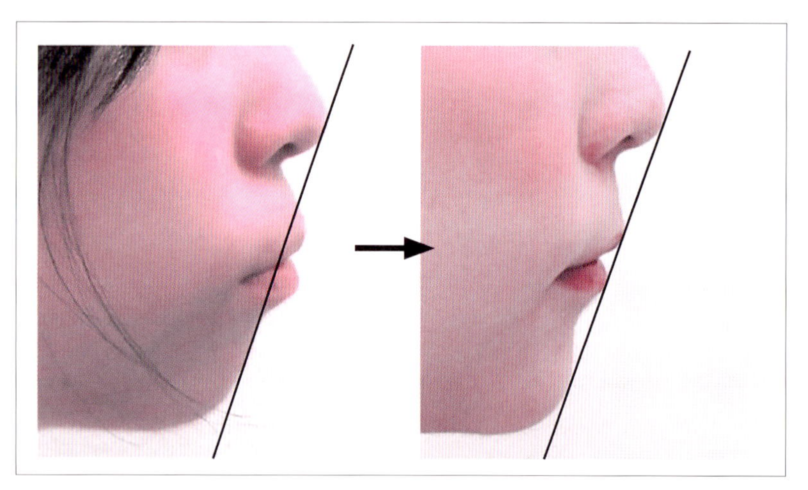

図18　E-ライン

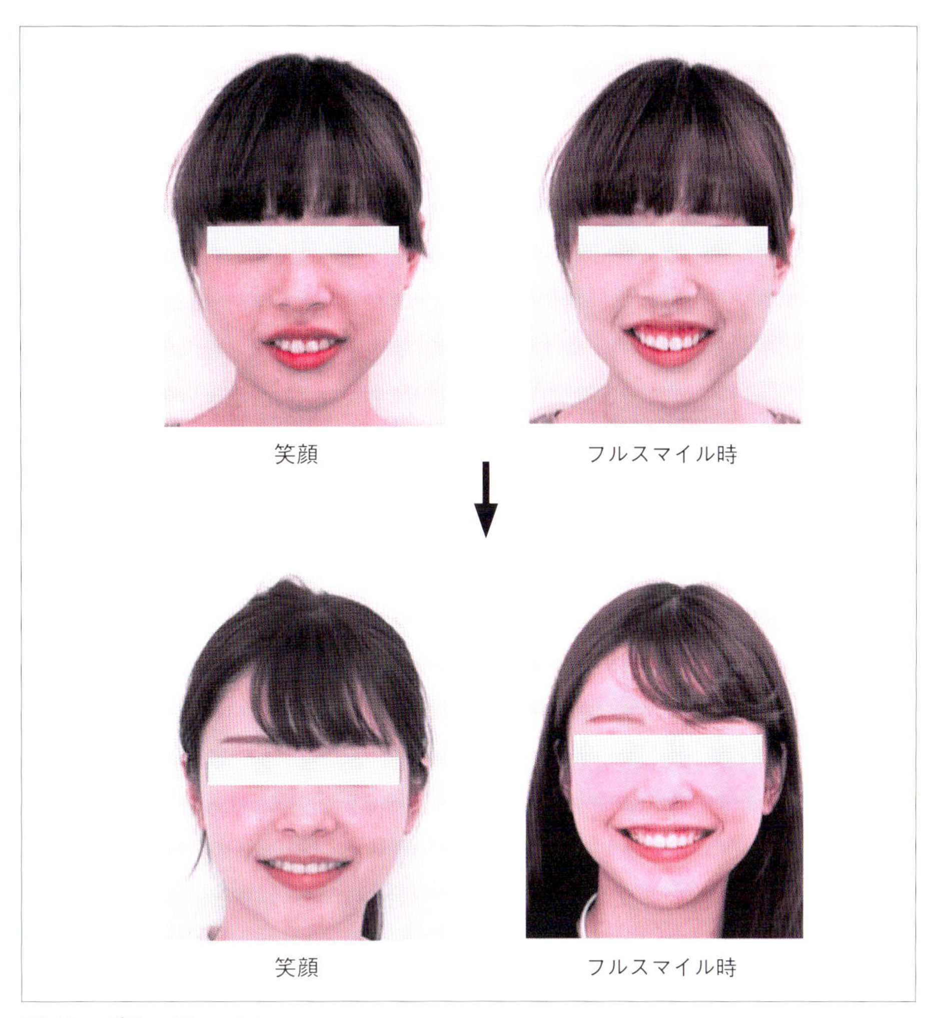

図19　ガミースマイル

また，笑ったときに歯ぐきがたくさん見えるガミースマイルもあります（図19）．術前の資料でしっかりとスマイル時の写真を撮り，患者さんの希望をくみ取っていくことが大切です．

おわりに

近年はさまざまな矯正装置が開発されています．従来のブラケットを用いる方法，舌側にブラケットをつける方法，カスタムトレーによる取り外し式の装置を使う方法などがありますので，それぞれの装置の特性を把握し，円滑で質の高い治療が行えるように，スタッフの皆さんも患者さんの矯正について少しでも多くの知識を得られるように努力しましょう．

第9章 矯正歯科治療における口腔衛生

相澤　一郎・椿　丈二

第9章

矯正歯科治療における 口腔衛生

矯正歯科治療は装置を用いて行うので，治療中は歯ブラシが届きにくい環境となります．また，矯正歯科治療が必要となる不正咬合は，一般的に歯並びにズレが生じている場合が多く，歯ブラシが届きにくい状態です．

歯ブラシが不十分だと起こり得る症状でまず思いつくのは「むし歯」だと思います．食物残渣があると，ミュータンス菌をはじめとした「むし歯菌」が糖質を取り込み，プラーク，酸をつくってエナメル質を脱灰させていきます．唾液には酸を中和する効力（緩衝能）もあり，常に口の中が唾液で湿潤状態にあれば，脱灰された部位も唾液の成分により再石灰化が行われます．しかし，食物残渣があると，プラークは厚みを増していき，エナメル質の表面にバイオフィルムをいう膜をつくり（このタンパク質由来の膜は歯ブラシでは落ちにくいといわれています），この中で菌が繁殖していきます．このような状況になると唾液は歯の表面に届きにくくなってしまい，唾液の効果が発揮されずにむし歯が発生します．むし歯を防ぐためには，食事をしたらその都度しっかり磨くことと，食事の間隔（だらだら食べない，朝食・昼食・おやつ・夕食の間隔）がとても大切になります．

また歯肉の健康にも大きな影響を及ぼします．プラーク内の細菌が毒素を出して歯肉へ侵入していくと炎症が生じていきます．発赤，腫脹が進行してくると，歯肉や歯を支えている歯槽骨が破壊され歯周病へと進んでしまいます．現代においては 30 歳代の 80%は歯周病に罹患しているといわれています．

このように，口の中はむし歯や炎症のリスクが大きい環境ということを理解してもらいたいと思います．

矯正歯科治療中の口腔清掃

ブラケットには厚みがあります．またワイヤーを通すことにより，歯ブラシの毛先が歯に届きにくい環境になります（図 1）．

一般的な清掃器具としては，歯ブラシ，タフトブラシ，フロス，歯間ブラシ

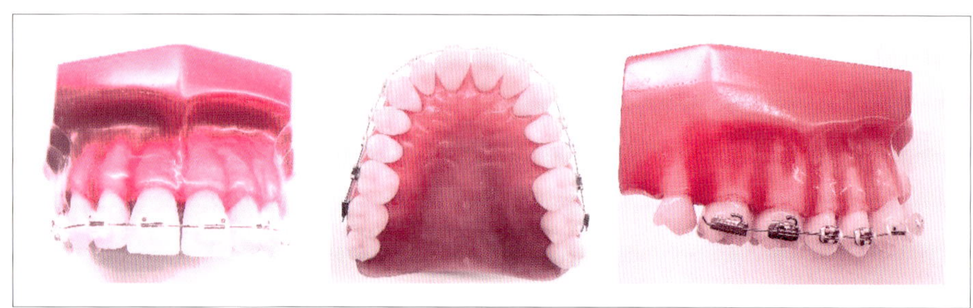

図 1　矯正歯科治療中の口腔内環境

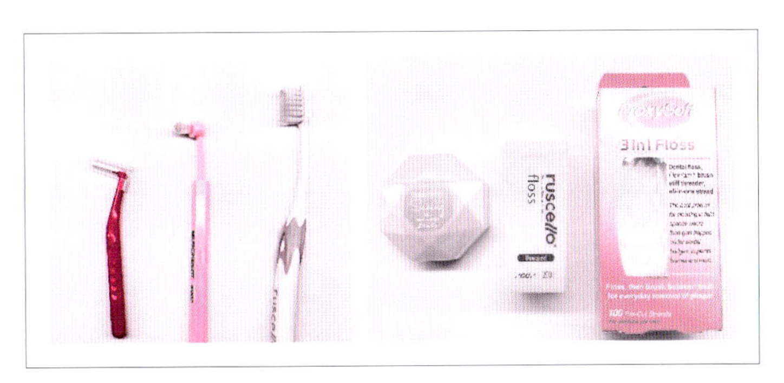

図 2　各種清掃器具

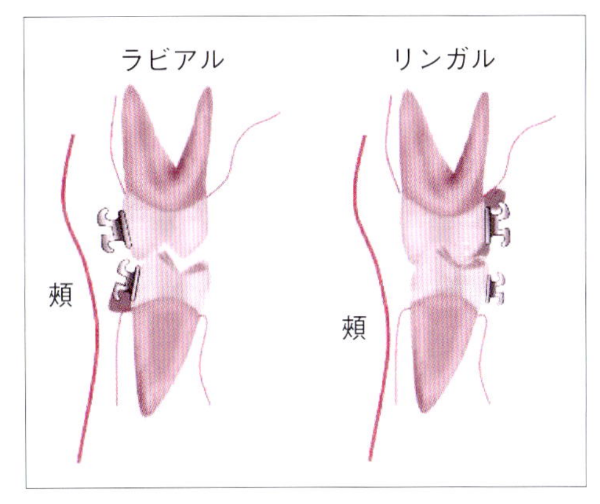

図 3　食物残渣が生じやすい部位
唇側では下顎のブラケットの下側，舌側では上顎のブラケットの歯頸側に生じやすくなります．
（居波　徹ほか編：リンガルブラケット矯正の臨床．医歯薬出版，2020．より）

があげられます（図 2）．

矯正歯科治療の開始前には，しっかりと歯ブラシができるように指導を行うことが重要です．口腔内に装着されたブラケットの種類や位置によっても，食物残渣が生じやすい場所は変わります．歯の唇側にブラケットをつけた場合と，舌側に装置をつけた場合でも違います（図 3）．

歯石

矯正歯科治療中は，歯科衛生士が超音波スケーラーなどの清掃器具を使って口腔内の汚れをきれいにしていることと思いますが，ワイヤーやブラケットにも歯石は沈着してしまいます．ワイヤーに歯石がつくと，ブラケットの溝（スロット）とワイヤーの滑りが悪くなり，歯の動きを阻害する場合もあります．

炎症

歯肉が腫れると，歯ブラシの機械的な刺激でも容易に出血をします．炎症の症状として腫れが生じれば，歯周ポケットが深くなり，より汚れが残りやすい環境となり，歯肉炎から歯周病へと負のスパイラルが生じてしまいます．歯周病などの炎症症状があるときに矯正力を加えることにより，より歯槽骨への負の影響が生じてしまい歯周病を悪化させてしまうこともあります．

唾液の働き

唾液の大半は耳下腺，顎下腺，舌下腺という三大唾液腺から分泌されており，唾液の量は平均で 1 ～ 1.5 L/ 日といわれています．その 99.5% は水分で，0.5% は無機成分としてカルシウム，リン酸，ナトリウム，有機成分としてムチン，免疫物質などが含まれています．

唾液は，食べ物の消化を助けたり，味を感じやすくしたり，口の中の汚れを洗い流す，酸を中和して口の中を中性に保つ，細菌の繁殖を抑える，再石灰化

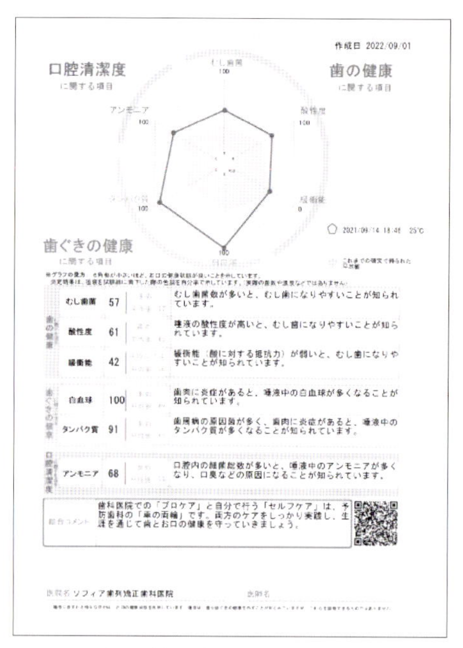
作成日 2022/09/01

口腔清潔度
に関する項目

歯の健康
に関する項目

歯ぐきの健康
に関する項目

2021/09/14 18:46 25℃

歯の健康	むし歯菌	57	むし歯菌数が多いと、むし歯になりやすいことが知られています。
	酸性度	61	唾液の酸性度が高いと、むし歯になりやすいことが知られています。
	緩衝能	42	緩衝能（酸に対する抵抗力）が弱いと、むし歯になりやすいことが知られています。
歯ぐきの健康	白血球	100	歯肉に炎症があると、唾液中の白血球が多くなることが知られています。
	タンパク質	91	歯周病の原因菌が多く、歯肉に炎症があると、唾液中のタンパク質が多くなることが知られています。
口腔清潔度	アンモニア	68	口腔内の細菌総数が多いと、唾液中のアンモニアが多くなり、口臭などの原因になることが知られています。

総合コメント　歯科医院での「プロケア」と自分で行う「セルフケア」は、予防歯科の「車の両輪」です。両方のケアをしっかり実践し、生涯を通じて歯とお口の健康を守っていきましょう。

医院名 ソフィア歯列矯正歯科医院　医師名

図4　唾液の簡易検査の一例

によってむし歯を防ぐ，といった口の中を清潔で健康に保つ働きがあります．細菌だけではなくウイルスにも働きかけるため，風邪やインフルエンザなどウイルス性の病気の発症を防ぐにはなくてはならない存在です．唾液の量が少なくなると，自浄作用も減少し，口腔内が乾燥してむし歯や炎症のリスクも高くなりますし，歯の着色も生じやすくなります．

いつも口が開いていると，唾液は出ていても口腔内の乾燥が生じて，上記のリスクが高くなりますし，唇（口唇）閉鎖不全によって歯並びや顎の成長にも影響を及ぼします．唾液の状態を調べるにはいろいろな検査方法もありますが，簡易検査の一例を示します（図4）．このような検査を行うことにより，患者さんに自分の口の中の環境を把握してもらい，口腔清掃へ役立たせることも一法です．

染め出し

プラークの状態を視覚化させて患者さんに磨き残しの生じやすいところ，磨きにくいところを把握させ，清掃の重要性を理解していただくのも有用な方法です（図5）．

矯正歯科治療中は定期的に通院していただき，ワイヤーの調整と口腔内清掃ならびに口腔内環境のチェックが必要となりますが，むし歯や歯周病は一般歯科との連携も必要不可欠です．キャンセルが続く患者さんがいる場合は連絡をとり調整のアポイントを促すことと，患者さんのモチベーションを高めていく工夫は矯正歯科治療において大変重要です．

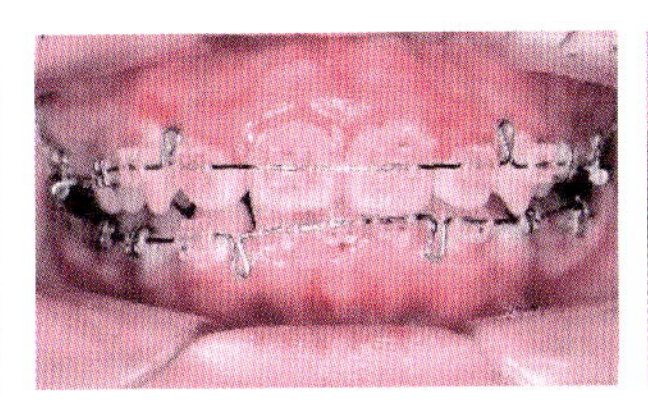

染め出し前

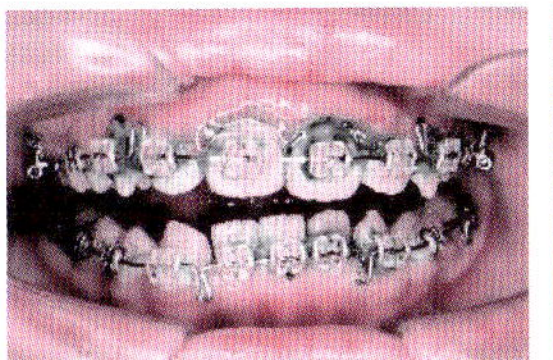

染め出し

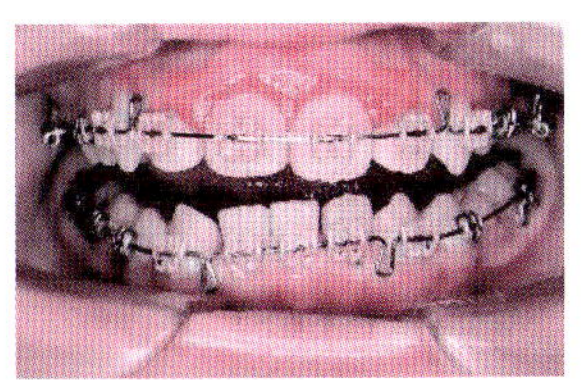

ブラシ後

図5　染め出し

column　矯正歯科治療中の感染症対策

新型コロナウイルス感染症（COVID-19）が2019年12月に中国で初めて報告され，世界的な流行となりました．そこで歯科での感染症対策がクローズアップされることになりました．

■ 患者さんへの対応

日本歯科医師会からは，新型コロナウイルス感染症について患者さんに対して注意喚起がなされました（図A）．

また日本矯正歯科学会からは，「矯正歯科治療を受診中の皆様へ」として患者さんへの対応が周知されました（図B）．

歯科医療機関への受診にあたって

歯科医療機関では，感染対策（標準予防策）を徹底してきました．現時点で，歯科医療を通じた感染拡大の報告はありません．ただし今後，さらに感染が広がり，自覚症状がない患者さんが来院するリスクが高まる状況が想定されます．つきましては，以下の点についてご理解ご協力をお願いします．

1）発熱や咳などの呼吸器症状や海外渡航歴など，新型コロナウイルス感染症の疑いがある場合は，受診する前に『発熱者相談センター』もしくは専門医療機関等に相談して指示を受けてください．

2）歯科医療機関では，待合室の患者数を減らすなどの予約調整や，医院内の換気の徹底を行っています．受診する際には予約をお願いします．

3）受診される前には検温し，もしも発熱がある場合には，歯科医療機関に電話で相談の上，受診を延期するなどの対応をしてください．

4）歯科診療について緊急性があるかどうかなど，必要な判断は，患者さんの状態を診てからご相談の上で，かかりつけ歯科医が行います．ご不明な点は，かかりつけ歯科医にご相談ください．

図A　日本歯科医師会からの注意喚起　（https://www.jda.or.jp/corona/）

「矯正歯科治療を受診中の皆様へ」

・感染予防のため受診を控えていらっしゃる方につきましては，矯正歯科装置の不具合などにより食事が適切にとれない場合や痛みが強い場合，まずは現在受診中のクリニックに電話で問い合わせください．患者さん自身でできる対応方法などのアドバイスをいたします．

・新型コロナウイルス感染拡大による経済的な影響による今後の矯正歯科治療費の支払計画の変更などに関しては現在受診中のクリニックにご相談ください．

図B　日本矯正歯科学会からの周知（一部抜粋）　（https://www.jos.gr.jp/3652）

■院内での対応

矯正歯科治療の現場では，潜在的に血液や血液の含まれた唾液に曝露しています．口腔内清掃時のエアフロー，超音波スケーラーや手用スケーラーの使用，歯肉炎を呈する患者のTBI，ワイヤーの頬粘膜への当たりによる出血，印象採得時の印象材に付着した血液や唾液などです．院内において歯科医師，歯科衛生士，歯科助手，歯科技工士など歯科医療従事者を介した伝播を防ぎ，患者さんと医療従事者間の交差感染を制御することが感染対策として大変重要となります．

歯科医療では，患者さんの感染症の罹患の有無を検査して治療を行うことは一般的でないことから，スタンダード・プリコーション（すべての患者さんの血液，体液（汗を除く），分泌物，排泄物，損傷のある皮膚，粘膜を感染の可能性があるものとみなして感染経路を断つ）を基盤とした感染対策を行うことが必要です（表1，2）．

表1　標準予防策の対象とするもの

・すべての患者さんの目視できる湿性の血液・体液・排泄物など
・血液（血液が混入している体液は血液として取り扱う）
・排泄物（嘔吐物も含む）
・体液（羊水，心嚢液，腹水，胸水，関節滑液，精液，膣分泌液，耳鼻分泌液，創からの滲出液など）
・病理組織（胎盤，手術摘出物，抜去歯など）
・新型コロナウィルス感染症（COVID-19）は，感染部位が全身にわたり，唾液中にウイルスが排泄されることから，本疾患の流行時には唾液も標準予防策の対策に含める必要がある．

表2　標準予防策における具体的対策

1. 手指は頻繁によく洗う．血液・体液・排泄物に触れたらただちに洗う．
2. 湿った血液・体液・排泄物，粘膜・損傷皮膚などに触れる場合にはプラスチック手袋などを使用する．
3. 血液・体液・排泄物などで衣服が汚染される可能性がある場合は，ディスポーザブルのプラスチックエプロンを使用する．
4. 血液・体液・排泄物などが床にこぼれたときは，プラスチック手袋，プラスチックエプロンを着用し，次亜塩素酸ナトリウム液などで処理をする．
5. 医療機関において感染性廃棄物を取り扱うときは，バイオハザードマークなどを使用し，分別・保管・運搬・処理を行う・
6. 医療機関において針などの営利物を使用したときは，リキャップせず，針を使用した本人が耐貫通性容器に直接廃棄する（針刺し切創事故防止対策）．

（表1，2は，ICHG研究会編：歯科医療における国際標準 感染予防対策テキスト滅菌・消毒・洗浄．医歯薬出版，2022，15-16．より）

本書のあとがきにかえて

佐藤元彦

叢生（乱ぐい歯），反対咬合（かみ合わせが逆），上顎前突，あるいは開咬などといった不正咬合が，矯正歯科治療により改善できるということは，非常に重要なことです．

本書の読者あるいは「歯並びコーディネーター」の皆さんは多くの不正咬合を有する人々に接することになります．そのとき，いろいろな質問に直面するかと思いますが，ぜひとも，本書やその他の研修などから得た知識を活用して，十分答えられるようになっていただきたいと思います．ただし実際に治療する場合，矯正歯科治療だけではなく，保存治療や補綴治療などもかかわってきますので，説明や助言だけとはいえ大変難しい役割を背負うことになります．出っ歯，受け口，歯並びの悪い方などをみかけたら，積極的に「一度矯正歯科医院で相談されるとよいですよ」と伝えていただきたいと思います．成人矯正歯科学会の認定資格「歯並びコーディネーター」を取得したとしてもあくまでもアドバイスであって歯科医に代わって患者さんの診断ができるということではありません．しかしながら，社会的にも貴重な資格として役に立つことでしょう．

E-ライン・ビューティフル大賞歴代受賞者

1990年・MIE

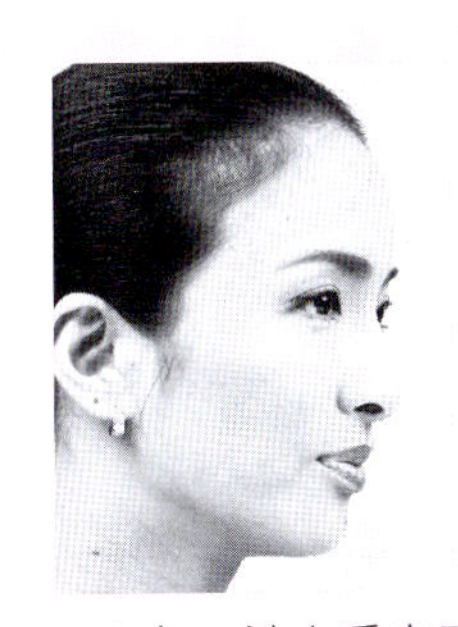

1995年・池上季実子

1996年・藤谷美紀

1997年・清水美紗

1998年・佐藤藍子

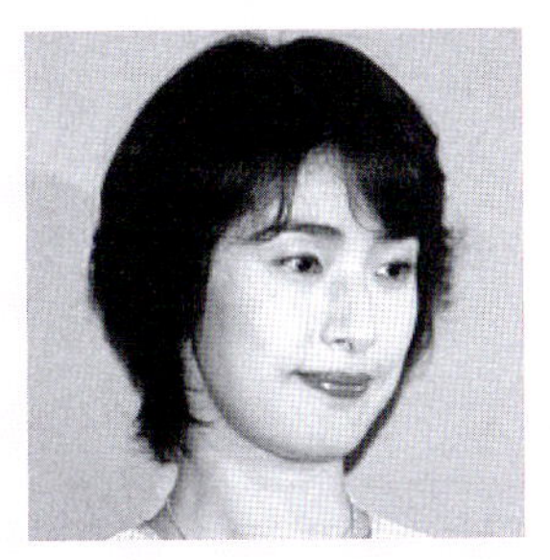

1999年・天海祐希

2000年・宮沢りえ

2001年・黒木瞳

2002年・米倉涼子
2003年・水野真紀
2005年・白石美帆
2006年・上戸彩
2007年・優香
2008年・釈由美子
2010年・井上和香
2011年・小池栄子
2012年・武井咲
2013年・剛力彩芽
2015年・吉本実憂
2016年・江口ともみ
2017年・岡田結実
2018年・井上真央
2022年・宇垣美里

矯正歯科治療が人々の役に立っているのは，いわゆる歯並びや噛み合わせの改善だけではありません．同時に横顔（プロファイル）の改善にも優れた効果があります．「E-ライン」という言葉を聞いたことがあるかもしれませんが，これは美しいプロファイルの基準として米国の矯正歯科医のリケッツにより研究発表されたもので，鼻の先端と顎の先端を結んだ「Esthetic line」の略称です（図）．このラインより口元が若干内側に入った状態が，美しく見える横顔だとされています．

日本成人矯正歯科学会と日本矯正歯科研究所の共催行事として行われている『E-ライン・ビューティフル大賞』の授賞式は，毎回横顔の美しい女性を表彰しています．これまでの受賞者はほとんどが女優さんですが，ここで最も理解していただきたいのは，矯正歯科治療が横顔に深く関係しているということです．

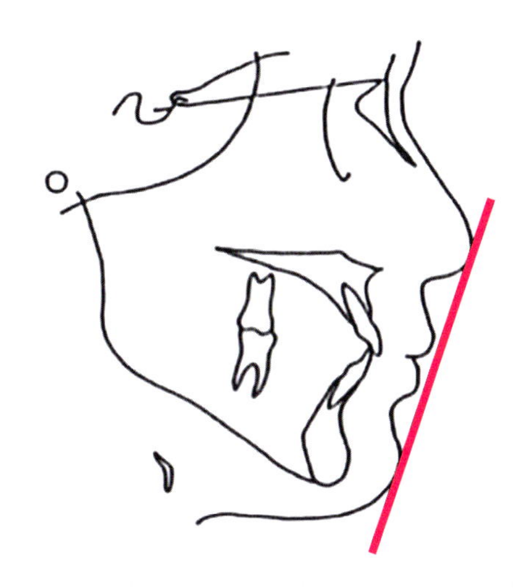

図　鼻尖とオトガイを結ぶ線がE-ライン

また昨今，矯正装置は一段と進歩して，以前は金属ばかりだったものが，セラミックのブラケットも使用されており，目立たなくなってきております．さらに，舌側からの治療法や可撤式の矯正装置を着けることも可能で，他人の目を全く気にすることなく矯正治療が行えます．こうしたことからも，矯正歯科治療を普及させるよい条件が整ってきたといえます．

このように矯正材料や技術面でも研究開発が進み，以前に比べ気軽に手に入れられる治療となってきました．それを歯並びコーディネーターが推奨することによって，患者さんはより幸せになります．これからも歯並びコーディネーターの皆さんのご活躍を期待しています．

白い美しい歯並びは美と健康のシンボルです．

◎歯並びコーディネーターの資格について

受講資格としては歯科医院の勤務経験者などとなっておりますが，日本成人矯正歯科学会が主催する歯並びコーディネーターの研修会を受講し，認定審査に合格することにより取得できます．それほど難しい審査ではありませんので是非受講をお勧めします．

ご不明な点は日本成人矯正歯科学会事務局までお問い合わせ下さい．

日本成人矯正歯科学会事務局
〒115-0055　東京都北区赤羽西6-31-5
TEL：03-5963-4007　FAX：03-5963-4008

E-ライン・ビューティフル大賞選考委員会事務局
〒150-0002　東京都渋谷区渋谷2-15-1
渋谷クロスタワー21階　日本矯正歯科研究所　内
TEL：03-3499-2222　FAX：03-3499-2221

索引

欧文

【執筆者略歴】

重枝　徹
1988年　日本大学歯学部卒業
1994年　えびす矯正歯科開業（東京都渋谷区）
日本成人矯正歯科学会常務理事

佐藤元彦
1963年　日本歯科大学卒業
1967年　日本歯科大学大学院修了
1975年　日本矯正歯科研究所所長（東京都渋谷区）
日本成人矯正歯科学会会長

石野善男
1985年　東日本学園大学（現 北海道医療大学）歯学部卒業
1999年　二子玉川ガーデン矯正歯科開業（東京都世田谷区）
日本成人矯正歯科学会専務理事

椿　丈二
1991年　日本歯科大学歯学部卒業
1999年　ティースアート矯正歯科開業（東京都渋谷区）
日本成人矯正歯科学会常務理事

武内　豊
1973年　北海道大学歯学部卒業
1987年　YT臨床矯正セミナー主宰（千葉県市川市）
日本成人矯正歯科学会監事

小谷田仁
1975年　日本歯科大学卒業
1979年　米国HOWARD大学大学院修了
1993年　青山審美会歯科矯正クリニック開業（東京都渋谷区）
日本成人矯正歯科学会監事

今村隆一
1981年　日本大学松戸歯学部卒業
1986年　日本大学松戸歯学部大学院修了
2018年　今村歯科・矯正歯科医院院長（福島県南相馬市）
日本成人矯正歯科学会副理事長

相澤一郎
1988年　日本大学歯学部卒業
2001年　ソフィア歯列矯正歯科医院院長（東京都港区）
日本成人矯正歯科学会常務理事

やさしくわかる矯正歯科治療　第3版
歯並びコーディネーター入門書　ISBN978-4-263-44689-8

2015年 9月25日　第1版第1刷発行
2017年 4月20日　第1版第2刷発行
2019年 9月25日　第2版第1刷発行
2023年 8月 5日　第3版第1刷発行

編　集　特定非営利活動法人
日本成人矯正歯科学会
発行者　白石泰夫

発行所　医歯薬出版株式会社

〒113-8612　東京都文京区本駒込1-7-10
TEL. (03)5395-7638(編集)・7630(販売)
FAX. (03)5395-7639(編集)・7633(販売)
https://www.ishiyaku.co.jp/
郵便振替番号 00190-5-13816

乱丁，落丁の際はお取り替えいたします　印刷・あづま堂印刷／製本・皆川製本所